富爸爸，穷爸爸

Rich Dad, Poor Dad

What the Rich Teach Their Kids About Money—That the
Poor and Middle Class Do Not!

［美］罗伯特·T·清崎　莎伦·L·莱希特　著

杨军　杨明　译

王丽洁　审校

世界图书出版公司

北京·广州·上海·西安

图书在版编目（CIP）数据

富爸爸，穷爸爸/［美］清崎（Kiyosaki, R.T.），［美］莱希特（Lechter, S.L.）
著；杨军，杨明译．－北京：世界图书出版公司北京公司，2000.8（世图财商系列）
ISBN 7－5062－4674－0

Ⅰ.富… Ⅱ.①清… ②莱… ③杨… ④杨… Ⅲ.家庭－经济管理－通俗读物
Ⅳ.F063.4－49

中国版本图书馆 CIP 数据核字（2000）第 67378 号

Rich Dad, Poor Dad: What the Rich Teach Their Kids about Money—That the Poor and
Middle Class Do Not!
by Robert T. Kiyosaki and Sharon L. Lechter
Authorized translation by Goldpress, Inc. from English language edition published by
TechPress Inc.
Copyright © 1997, 1998 by Robert T. Kiyosaki and Sharon L. Lechter
Chinese translation © Beijing World Publishing Corporation, 2000
All rights reserved

富爸爸，穷爸爸

作　者：	［美］罗伯特·T·清崎　莎伦·L·莱希特
译　者：	杨军　杨明
审　校：	王丽洁
责任编辑：	陈非　罗琳
装帧设计：	董利

出　版：	世界图书出版公司北京公司
发　行：	世界图书出版公司北京公司
	（北京朝内大街 137 号　邮编 100010　电话 64038350）
销　售：	各地新华书店和外文书店
排　版：	北京中文天地文化艺术有限公司
印　刷：	北京中西印刷厂

开　本：	711×1245 毫米　1/24　印张：9
字　数：	190 千字
版　次：	2000 年 9 月第 1 版　2000 年 12 月第 6 次印刷
版权登记：	图字 01－2000－0997

ISBN 7－5062－4674－0/F·84　　　　　　　　　定价：18.80 元

世图财商系列之
《"富爸爸"丛书》策划组

雷玉清　邹晓东

汤小明　李兴华

马清扬　陈　非

本书献给全世界的父母——孩子们最重要的老师。

出版者的话

"1999 年 4 月，《富爸爸，穷爸爸》在美国全面上市，1999 年 10 月销量突破 100 万册；2000 年 2 月，该书在亚马逊网上书店上百万种图书中的销量高踞榜首；2000 年 3 月，《富爸爸，穷爸爸》韩语版登陆韩国，2 个月内销量达 25 万册；2000 年 6 月，《富爸爸，穷爸爸》靠岸澳洲，大小书店一时为紫色所覆盖；2000 年 7 月，匈牙利语版推出……"

面对这一组颇具广告煽情色彩的数据，我们可以不予理睬，虽然它们是真实的。但我们不得不打开这本书，因为每个人都有财富的梦想、自由的梦想。

掩卷之时，大洋彼岸吹来的风，还在大脑里呼来啸去："让金钱为你工作"、"争取财务自由"、"财商致胜"、"世界上到处都是有才华的穷人"绝非妄语。从细小的个人理财技巧到全新的"财商"概念，再上升到对传统的金钱观念、知识观念和价值观念的挑战，本书将带给你多层次的全面冲击。

数据们终将被新的数据所取代、淹没；大洋彼岸的风也将瞬间而逝，而我们被冲击过的观念还在大脑里。是我们采取行动的时候了，整理好你的观念，选择适合自己的道路，亦不妨借用一下"富爸爸"的捷径，只要你认为值。古为今用，洋为中用，棒喝与批判之后，你梦想之路还得自己走，但也许会更丰富、更壮丽！

世界图书出版公司北京公司

2000 年秋

"要想获得财务自由，你一定要读《富爸爸，穷爸爸》。这本书介绍了许多有益于你未来财务状况的常识和对于市场的见解。"

——齐格·齐格勒

（世界著名作家、演讲家）

"如果你想获得关于个人如何致富并保持富裕的智慧，就看这本书吧！同时，不妨引导你的孩子也去读这本书（包括使用财务手段）。"

——马克·维克托·汉森

（《纽约时报》之《心灵鸡汤系列》作者之一）

"《富爸爸，穷爸爸》并不是一本普通的关于金钱的书……《富爸爸，穷爸爸》通俗易懂，它所传达的主要信息（比如：致富需要集中力量）是非常简单而富于震撼力的。"

——《火奴鲁鲁杂志》

"我真希望我年轻时读过这本书，如果我父母当时读过就更好了。这样一本如此有价值的书，你应该给你的孩子买一本，你还应该多买几本，如果你有孙子的话，他们到八九岁时，你可以将这本书作为礼物送给他（她）们。"

——休·布劳恩

（Tenant Chek of America 总裁）

"《富爸爸，穷爸爸》不是教你如何一夜暴富，它是教你对自己的财务负责并通过掌握金钱运动的规律来增加财富的一本书。如果你想唤醒你在理财方面的天赋，就读这本书吧！"

——埃德·柯肯博士

（墨尔本 RMIT 大学财务系讲师）

"我真希望 20 年前就读过这本书！"

——拉里森·克拉克

"对任何想取得对自己未来的财务生活控制力的人，《富爸爸，穷爸爸》都将是一个最好的起点。"

——《今日美国》

目　录

这就是你所需要的

学校真的让孩子们准备好应付真实的世界了吗?

"努力学习,得到好成绩,你就能找到高薪并且伴有很多其他好处的职位。"我父母过去常这么对我说。他们的生活目标就是供我和姐姐上大学,觉得这样我们就有了在生活中获得成功的最好机会。1976 年,当我从佛罗里达州立大学会计专业以全班第一的成绩光荣地获得学位证书时,我的父母实现了他们的目标,并把这作为他们一生中最引以为豪的成就。根据"大师计划",我很快便被"八大"会计公司中的一家雇佣,于是我在很早就觉察到了我今后漫长的职业生涯直至退休将是一条不会有太多变化的平稳道路。

我丈夫迈克尔也走着同样的路。我们都来自努力工作的家庭,有着朴素的生活方式和极强的职业道德观。迈克尔也是以优异的成绩从名牌大学毕业的,他还先后深造过两次:一次是作为工程师,另一次是在法律学校。这之后,他便很快被华盛顿一所著名的法律公司聘用,专攻专利法。和我一样,他的未来看起来非常光明,事业的道路也已被很好的确定了,而且还有充分的退休保障。

虽然我们在事业上很成功,应该说已经达到甚至超出了父母们当初提出的希望,但生活却并不像他们当初为我们所描绘的那么一劳永逸。由于新经济时代的种种原因,我们都曾先后换了几次工作，这使得当初看起来如此诱人的职业养老金计划几乎成了泡影，我们的退休金只能靠自己挣了。

迈克尔和我婚姻美满并有三个好孩子。当我写这些话时候，其中两个正在大学，另一个也已开始念高中。我们花了许多钱希望使我们的孩子得到尽可能好的教育。

1996年的一天，最小的孩子带着破灭的幻想从学校归来，他说他已经厌倦了，不想再去学习。"为什么我要花时间去学那些我真实生活中一辈子也用不到的东西呢？"他抗议道。

我毫不思索地答道："因为如果你学得不好就进不了大学。""可我并不想去上大学呢，"他说"我只想发财。""如果你不能从大学毕业，就得不到好工作，"我带着一丝惊慌和母亲的关爱说，"如果你得不到好的工作，又怎么发财呢？"

儿子笑了，带着一点厌烦之情慢慢地摇了摇头。我们以前已经进行过多次类似的谈话了，每次都会归结到这个结论上。他低下头转转眼睛，显然，我那母亲式的智慧之词又一次在装聋的耳朵面前失败了。

儿子虽然很聪明并且有着强烈的自我意愿，但他仍不失为一个有礼貌、尊敬人的年轻人。

"妈妈，"他又开口了，这次轮到我听演讲了，"跟上时代吧！你看看周围，那些最富有的人并不是因为受了良好的教育才致富的，看看迈克尔·乔丹和麦当娜吧，再看看比尔·盖茨，他退出了哈佛，建立了微软，他现在是全美最富的人，而他才30多岁。即使被贴上了"标新立异"的标签，他还是拥有每年花费400万美元的棒球场。"

我们都沉默了很久，我想该是轮到我把父母曾给我的忠告传授给儿子的时候了，但我却没有意识到世界已经变了，那忠告或许也需要变一变了。

当我的努力持续了大约十分钟后，我发现我已经无法再用当初父母说服我的话去说服儿子了，因为时代的确是变了，现实的许多例子告诉我们：得到好的教育和好的成绩不再能确保成功了。而孩子们似乎比我们先意识到了这一点。

"妈，"儿子还在继续他的演讲，"我不想将来像你和爸那样辛苦地工作。你们是挣了很多钱，使我们住在一所有很多玩具的大房子里，但同时你们每个月也要付大量的账单。如果听从你们的建议，我将来就会像你们一样，加倍努力地工作只是为了付更多的税和欠更多的债务。现在世界上根本没有什么稳定的工作了，人生潮起潮落、变化莫测。相信你也知道大学毕业生在今天已经比你们毕业时挣的钱少多了。再看看医生，他们今天挣的也已经远不如从前了。我知道我不能再寄希望于社会保障或公司的退休金了，我要寻求新的出路。"沉默了片刻，我想他是对的，他的确需要新的答案，我也是。我父母的忠告也许对1945年出生的人来说是有用的，但对出生于当今这个迅速变化的时代的人来说则可能已经派不上用场了。我不能再只是简单地对孩子们重复："去上学，争取拿好成绩，然后找到安全、稳定的工作，它会供养你一辈子。"我知道我必须找到一条新路并指引给孩子们。

作为一个母亲和会计师，我很关注孩子们在学校里所缺乏的经济知识。今天许多年轻人在进高中前就有了信用卡，但却从未上过关于钱或如何投资的课程，更不用说理解那些复杂而有趣的信用卡业务了。若不具备足够的财务智商，不了解金钱运转的规律，他们就没有准备好进入等着他们的现实世界，因为在这个世界里会花钱将比会省钱更受到重视。

当我最大的儿子在大学一年级就毫无办法地陷入信用卡债务危机时，我帮他处理了那些信用卡，但不久他又遇上了同样的麻烦。这件事促使我一直想去寻找一种能帮助我在经济事务上教育孩子，启发他们的财务智商的方法。

去年的一天，我丈夫从办公室给我打来电话："我这儿有个人，我想你该同他见见面。他名叫罗伯特·T·清崎，他是个商人和投资家，而且他正准备在我这儿申请一项新的教育产品的专利，我想这产品正是你要找的东西。"

由于我的丈夫迈克尔对"现金流"这种由罗伯特·T·清崎开发出的新教育产品印象深刻，于是他安排了我们去参加其产品原型的一个测试。因为这是一场教育游戏，我也问了19岁的女儿是否愿意一块儿去，她是本地大学的大一学生，她同意了。

大约有 15 人，分成三组，参加了这个游戏。

迈克尔是对的，这正是我在寻找的东西。它看上去就像一个"强手"或者"大富翁"一类的游戏，中间画着一只打扮入时的大老鼠。但它并不像那些游戏那样简单，游戏板上有两条路：一条在内部，一条在外部。游戏的目标是走出内部的路——罗伯特把它称作"老鼠赛跑"，进入到外面的路上，或叫"快车道"，并最终以投资获得的收益实现自己的"人生梦想"。正如罗伯特所设计的，快车道就如同"强手"或"大富翁"一类的游戏那样充分地显示了富人在生活中是怎么干的，然而当大多数的玩者在生活中还没有真正成为富人以前，这些游戏除了增加人们不切实际的财富梦想和纯粹的娱乐以外，似乎并不能对人们的经济生活有任何帮助和指导。然而当罗伯特接着向我们解释"老鼠赛跑"的含义时，我立刻被深深地吸引住了。

"如果你看看一般受过教育的、努力工作的人的生活，就会看到一条十分相似的道路。孩子出生了，然后去上学，自豪的父母十分兴奋，因为他们的孩子成绩十分出色，而且进了名牌大学。之后这孩子毕业了，也许继续深造，然后像编好的程序一样做下面的事：找个安全、稳定的工作，也许是个医生或律师，或参了军或进了政府部门。他开始挣钱了，信用卡开始蜂拥而至，而且开始购物，如果以前他还没有这样做过的话。"

"手里有了钱，这孩子去了其他年轻人喜欢去的地方。在那儿他开始结交女友，他们约会，不久结婚。现在生活一片大好，因为现代的社会里丈夫和妻子都工作，两份收入真是天堂。他们觉得获得了成功，前途光明，于是决定买房、买车、度假并且生孩子。这样一来问题就来了：需要大量的钱。那对幸福的夫妇认定他们的职业是最重要的，并且开始更加努力地工作，寻求升迁和加薪。加薪实现了，而另一个孩子的出生使他们需要一个更大的房子，他们不得不更努力地工作。他们成为了模范雇员，甚至于可以说有为公司献身的精神。他们又进了学校接受更多的培训以便让他们能赚更多的钱，也许他们干了两份工作。他们的收入上升了，但同时对他们的收入征的税和对他们新房子征的财产税也上升了，他们的社会保障税和其他税也上升了。他们得到了大额的工资单但迷惑于钱都到哪儿去了。他们买了些基金，而且用信用卡买了些杂货。孩子们长大了，为供他们上大学和为他们自己退休需要准备的钱也越来越多。

这对快乐夫妇，在35岁后陷入了'老鼠赛跑'的陷阱。他们不停地为公司老板工作，通过缴税为政府工作，通过付住房贷款和信用卡贷款为银行工作，但等待他们的只是越来越多的债务和催款单，于是他们再加倍努力工作，再更多地获取债务，陷于财务紧张的怪圈不能自拔。

接着，他们建议他们的孩子努力学习，取得好成绩，找个安全的工作或职业。而对于钱，除了从那些想利用他们，从他们的天真中获得好处的人那儿学到点东西外，他们什么也没学。他们终生努力工作，然而随后这个过程又将在他们的下一代中重复了，这就叫'老鼠赛跑'"。

跳出"老鼠赛跑"的唯一方法是证明你在会计、投资上是在行的，要知道在这两个困难的领域成为高手是一件多么困难的事。令作为一名注册会计师并一度在"八大"会计公司里工作过的我非常惊讶的是，罗伯特的游戏竟能使得这两门课的学习变得如此有趣和令人兴奋。游戏中我们努力地想跳出"老鼠赛跑"，这个过程是被设计得如此之好，以至于我们很快就忘记了我们是在学习。

玩具测试是在一个有趣的下午进行的。我的女儿也参加了，我们谈论着以前我们从未谈论过的事。作为一名会计师，玩一个有收支平衡表和资产负债表的游戏是很容易的，所以我有时间去帮我女儿和我们组的其他人，他们看起来并没有这方面的概念。

那天我是第一个跳出"老鼠赛跑"的人，也是惟一实现了"最终梦想"，完成了整个游戏的人。我在50分钟内走了出来，虽然整个游戏测试进行了三个小时之久。在我的桌上有个银行家，一个生意人，还有个编程员以及我的女儿。使我吃惊的是这些人对会计和投资知道得竟是如此之少，而这些知识在生活中又是如此重要。我不知道他们在现实生活中是如何管理他们的财务的，我 19 岁的女儿不懂这些我可以理解，但那些是成年人，至少也有她年龄的两倍。

在我走出了"老鼠赛跑"之后的两个小时里我看着女儿和其他受过高等教育的成人继续掷骰子移动他们的标记。虽然我为他们学到那么多知识感到高兴，但我还是震惊于那些成年人连会计和投资方面的基本知识都不曾具备，他们对收支平衡表和资产负债表间的因果关系知之甚少，当他们买卖资产时，总是难以记住每笔交易都会对他们的每月现金流量产生影响。由此我想，在现实世界中不知有多少人只是因为他们从未学习过这些知识而正在个人财务的泥沼中苦苦挣扎？

"感谢上帝他们只是在玩，并且只是被想赢得游戏的愿望所困扰。"我自言自语道。在罗伯特结束这个测试后，他给我们一些时间来讨论和评价"现金流"这个游戏。与我同桌的那位商人并不高兴，他不喜欢这游戏。"我完全不需要知道这些，"他大声说，"我雇了会计、银行经理和律师，他们会告诉我这些事。"

对此罗伯特回答："你看到有许多并不富有的会计师以及银行经理、律师、股票经纪人、房地产经纪人了吗？他们懂很多，而且是最聪明的人，但他们大部分都不富有。正是因为我们自己不具备这些知识，我们才想要从这些专业人员那里寻求建议。但是如果有一天，你在高速公路上开车，陷于交通阻塞，挣扎着要去上班，而你向右边看时，发现你的会计师同样陷在交通阻塞中，向左边看又看见了你的银行经理，这时你会怎么想呢？他们自身难保，又怎能帮你？"

电脑编程员也对这个游戏不感兴趣。他说："我可以买软件来替我管理这些东西。"银行经理却被打动了；"我以前在学校里学过这些，但我从不知道应该如此把它运用于我的现实生活中。现在我知道了，我要使自己的生活也走出'老鼠赛跑'。"

我的女儿说这游戏深深地打动了她。"我学得很愉快，这似乎使我提前经历了一次人生，我学了很多关于钱的运动规律和投资的知识。现在我知道我该如何去选择一个我想去从事的职业而不是因为某个职业安全或有利可图便去选择它。我想我需要不断地玩这个游戏，并把它介绍给我的朋友们，如果我们学会了这游戏所教的，我们将自由去做和学我们真正内心想要的东西，而不是去学另外一些东西仅仅因为它是一些特定的工作所需要的技巧。如果我学会这些，我就不必再去担心工作安定和社会保障，而这也是我大部分同学所关心的。"

由于大部分人因为游戏而十分兴奋，我没能在游戏结束后等到和罗伯特谈话，但我们同意以后见面进一步讨论他的项目。我知道他想用这个游戏帮助别人懂得更多的经济知识，而我也急于想知道他的计划。

一星期过后，我丈夫和我为罗伯特和他妻子准备了一个晚餐聚会。虽然这是我们首次聚会，我们却感觉像是已经认识了许多年。

我们发现我们有许多共同点。我们无所不谈，从运动到烹调到社会经济问题。我们谈到这个变化着的世界，我们还花了许多时间议论很多的美国人只有很少或几乎没有为退休攒下钱，以及几乎破产的社会保障和医疗保障体系。我的孩子们将来会被要求对 750 万人的退休金付一份钱吗？我们不知道人们是否认识到依靠一个养老金计划度过余生是多么的危险。

罗伯特主要关心的是在有产者和无产者之间日益加深的鸿沟。作为一个自学、白手起家的企业家，他周游世界并广泛投资，罗伯特在 47 岁时就自发退休了。他退休是由于他也有我对我孩子们的那种关心，当然他所关注的是更多的孩子。他知道世界在变，但教育却并未随之改变。就罗伯特来看，孩子们正花费几年的时光在一个过时的教育体系中学一些他们永远用不着的东西，并准备依靠这些东西去一个根本不存在的世界。

"今天，你所能给孩子的最危险的建议就是：去学校，好好念书，然后找个安全的工作。这是旧的建议而且是坏的建议，如果你能看见在亚洲、欧洲、南美洲发生的事，你就会像我一样担忧。"

他确信这是个坏建议，"因为如果你想让你的孩子得到一个经济上安全的未来，他们就不能按旧的游戏规则办事，那和过于激进同样危险。"我问他什么是"旧规则"。

"像我这样的人在经济生活中有一套与你们完全不同的游戏规则，我来问你，当一家公司宣布缩编时会如何？"

"会解雇人，家庭会受伤害，失业会增加。"

"'对。但对公司会发生什么？尤其是对一个公开上市的股份公司？"我想了想说："当宣布缩编时上市公司股价通常会上升，市场喜欢这样的消息，因为当公司减人时成本就下降了，这意味着公司通过自动化提高了平均劳动生产率。"

"对，"他说，"而当股价上升时，像我这样的人，即股东，就更富了。这就是我说的一套不同的规则。雇员损失了，但所有者和投资者却获利了。"罗伯特不仅描述了雇员和雇主的区别，也说明了掌握自己的命运和把它让给别人掌握的区别。

"这对许多人来说恐怕难以理解，"我说，"他们只是认为那不公平。""这就是为什么对孩子说：'去得到好的教育'是不够的。"他说，"假定学校体系的教育能使你的孩子准备好了应付真实的生活，这种假定是愚蠢的。我并不是说美国现有的教育体系是完全不好的，但至少它是远远不够的，在今天的世界，每个孩子都需要得到更多的教育，不同的教育，他们需要知道真实生活中的游戏规则，各种不同的规则。富人有他的那套规则，而富人的规则对于绝大多数穷人和中产阶级来说还是个秘密。其他占人口95%的人则有他们的规则，而这些人是从学校学到这些规则的。这就是今天为什么简单地对孩子说：'努力学习，找好工作'是危险的。孩子今天需要更复杂的教育，而现在的教育体系并不足以供应这些。我并不关心他们在教室里安了多少台电脑或学校已经花了多少钱，但教育体系怎么能够教授连它自己都不知道的东西呢？"

"那么父母应该怎样教孩子会计？这些连父母自己都觉得枯燥乏味的东西，孩子们不会烦吗？而且当你自己就是一个风险的回避者时又怎么去教孩子投资呢？因此我们不能简单地说教，而是要让孩子们玩这游戏，让他们自己去体会，和他们一起学习和讨论，我断定这是最好的教育方法。"罗伯特说。

"那你怎么教孩子关于钱和其他我们谈论的有关的事呢？"我问罗伯特。"我们怎样才能使这种教育对父母而言简单化，尤其是对那些自己也不懂这些的父母？"

"我写了一本这个题目的书。"他笑了笑，有些腼腆地说。

"在哪儿？"

"我的电脑里，它已经断断续续在那儿几年了。我不时地写上点儿，但我还没有把它们合成一体，我是在我的另一本书成为畅销书后开始写它的，但新的这本还未完成，只是片断。"

它的确只是片断，但在我后来读了几个分散的部分后，我断定这本书有金子般的价值也需要被人们所知悉，尤其是在这个时代，因此我们同意共同作为罗伯特的书的作者。我问罗伯特他希望教给孩子们多少经济知识，他说这要取决于孩子。小时侯，他想富有而且他知道自己很幸运，有位父亲式的有钱人愿意教他。教育是成功的基础，罗伯特说，正如学校里教的某些技能非常重要一样，经济技能和交流技能也十分重要，甚至可以说更为重要。

后面就是罗伯特的两个父亲，富爸爸和穷爸爸，向他解释而他也运用了一生的技能，两个父亲从观念到结果的对立为我们提供了重要的对照。本书是由我协助编辑和组合的，对于任何读本书的会计人员，我建议你扔开你在学校里读的书，打开心智面对罗伯特提供的理论。虽然许多理论挑战了某些早已为一般人所接受的甚至作为原则的会计基础，但它们提供了一种关于真正的投资者是如何分析并进行投资决策的新视点。

当我们作为父母建议我们的孩子"去学校，好好学习，找好工作"时，我们常常只是出于文化的习惯而那么做，因为人们总认为这些事是对的。但当我遇到罗伯特时，他的思想震动了我。被两个父亲培养大，他被告知要为两个截然不同的目标奋斗。他受过教育的父亲建议他为企业而工作，他的富有的父亲则建议他拥有自己的企业。两种道路都需要教育，但教育的科目却完全不同。他受过教育的父亲鼓励他成为聪明人，而他富有的父亲则鼓励他雇佣聪明人。两个父亲引来了许多问题。罗伯特真正的父亲，也就是那个"穷爸爸"是夏威夷州教育系统的总督学，在罗伯特16岁时，发自他真正父亲的那种"如果成绩不好就得不到好工作"的威胁对他而言几乎已经失效了。他已经认定他的事业之路是拥有企业而不是为企业工作。实际上，若不是因为一个聪明而且坚持的高中指导老师，他可能连大学都不会去上。他承认这点。他急于开始建立自己的资产，但最终同意大学教育对他也是有益的。的确，本书中的思想对今天的大多数父母来说，也许太难以理解也太激进，甚至有些父母正苦于无力让他们的孩子在学校中呆足够的时间。但是想想我们这个充满变化的时代，作为父母的我们应该对新的、大胆的思想开放。鼓励孩子们成为雇员就是建议你的孩子在他的一生中缴纳超过他们应付的份额的税，只得到很少而不确定的养老金。税作为一个人最大的支出也是毫无疑问的，实际上，大多数家庭从1月到5月中旬的工作都是为政府干的。因此我们需要告诉孩子们新的思想，而本书提供的正是这种全新的思维方式。

罗伯特声称富人在以另一种不同的方式教育着他们的孩子，他们在家里教孩子，在饭桌上。你也许不会选择这种方式和你的孩子讨论想法，但多谢你看到了那些方式而不是一味否定，而我也要建议你继续探索。以我看来，作为一个妈妈和注册会计师，仅仅学习好然后找个好工作的想法是陈旧的。我们需要新思想和不同的教育。也许告诉孩子们努力作个好雇员同时努力去拥有他们自己投资的企业会是一个更好的主意。

作为一个母亲我希望本书能对其他的父母有所帮助。罗伯特想告诉人们的是，任何人都能干得很棒——如果他选择那么干的话。如果今天你是一个花匠或看门人甚至失业，你仍有自我教育和教你所爱的人关心他们自身经济状况的能力。要记住，经济头脑是在解决我们经济问题的过程中锻炼出来的。

今天我们面临着经济全球化和新技术的变革，它如同人类从前曾经面临过的一样巨大，甚至更大。没人有可以预测未来的水晶球，但有一件事是肯定的：超越我们当前生活的变化就在前面。谁知道未来什么样？但无论发生什么，我们至少有两个基本选择：玩得安全，或通过周密准备、获得教育并且唤醒你和你孩子们的经济潜能而玩得高明。

如果你和我有过或有着同样的烦恼，那么这就是你所需要的。

莎伦·L·莱希特

课　程

第一章

富爸爸，穷爸爸

——罗伯特·清崎口述

我有两个爸爸，一个富，一个穷。一个受过良好的教育，聪明绝顶，拥有博士的光环，他曾经在不到两年的时间里修完了四年制的大学本科学业，随后又在斯坦福大学、芝加哥大学和西北大学进一步深造，并且在所有这些学校都拿到了全奖；与之相反的是，我的另一个爸爸连八年级都没能念完。

应该说两位爸爸的事业都相当成功，而且一辈子都很勤奋，因此，两人都有着丰厚的收入。然而其中一个人终其一生都在个人财务问题的泥沼中挣扎，另一个人则成了夏威夷最富有的人之一。一个爸爸身后为教堂、慈善机构和家人留下数千万美元的巨额遗产，而另一个爸爸却只留下一些待付的账单。

其实我的两个爸爸都是那种生性刚强、富有魅力、对他人有着非凡影响力的人。他们两个人都曾给过我许多建议，但建议的内容却总不相同；他们两人也都深信教育的力量，但向我推荐的课程却从不一样。

如果只有一个爸爸，我就只能对他的建议简单地加以接受或者拒绝；而两个爸爸给我截然对立的建议，这在客观上使我有了对比和选择的机会。现在回想起来，这实际上是一种在富人的观念和穷人的观念之间进行的对比和选择，而这种对比和选择的结果决定了我的一生。

由于两个父亲的观念对立，使我得不到统一的说法，我便无法简单地对这些建议予以接受或拒绝，我发现自己有了更多的思考、比较和选择。

也许会有人说：这完全没有必要，你只要按照你富爸爸教你的去做，自然就会富有了，还选择什么呢？问题是，在给我建议的时候，富爸爸还不算富有，而穷爸爸当时也并不贫穷，两人都刚刚开始他们的事业，都在为钱和家庭而奋斗。然而，他们对于钱的理解却是如此的迥然不同，这就好像一个爸爸会说：贪财乃万恶之源；而另一个爸爸却会说：贫困才是万恶之本。

他们之中谁会成功？谁会富有？应该听谁的？当时我还只是一个小男孩，对我而言拥有两个同样富有影响力的爸爸可不是一件好应付的事。我想成为一个听话的好孩子，但两个爸爸却说着完全不同的话，他们的观点是如此相悖，尤其在涉及到金钱的问题上更是如此，这令我既好奇又迷惑，我不得不花很多时间对他们的话进行思考。

我用了很多的时间，问自己诸如"他为什么会那样说"之类的问题，然后又对另一个爸爸的话提出同样的疑问。如果不经过自己的思考就简单地说："噢，他是对的，我同意"，或是拒绝说："这个老爸不知道自己在说些什么"，我想那会容易得多。然而，这两个我所爱的观点不同的爸爸却迫使我对每一个有分歧的问题进行思考，并最终形成自己的想法。这一过程，即自己去思考和选取而不是简单地全盘接受或全盘否定的过程，在后来的漫长岁月中被证明对我是非常有益的。

我逐渐意识到富人之所以越来越富，穷人之所以越来越穷，中产阶级之所以总是在债务泥潭中挣扎，其主要原因之一在于他们对金钱的观念不是来自学校，而是来自家庭。我们中的绝大多数人是从父母那里了解钱是怎么回事的。一对贫困的父母在培养孩子的理财观念时，只会说："在学校里要好好学习喔。"结果，他们的孩子可能会以优异的成绩毕业，但同时也秉承了贫穷父母的理财方式和思维观念——要知道，由于家长的灌输，这些观念在孩子很小的时候就已经开始形成了。

据我所知，迄今为止，在美国的学校里仍没有真正开设有关"金钱"的基础课程。学校教育只专注于学术知识和专业技能的教育和培养，却忽视了理财技能的培训。这也解释了为何众多精明的银行家、医生和会计师们在学校时成绩优异，可一辈子还是要为财务问题伤神；国家岌岌可危的债务问题在很大程度上也应归因于那些作出财务决策的政治家和政府官员们，他们中有些人虽然受过高等教育，但却很少甚至几乎没有接受过财务方面的必要培训。

我常常在想，当我们的社会有成百万的人需要医疗救助时该怎么办？当然，家人和政府会救济他们。可是，当医疗基金和社会保障基金用尽时又该怎么办？这并非是杞人忧天，如果我们继续把教子理财的重任交给那些由于自身缺乏财务知识，正濒于贫困边缘或已陷入贫困境地的父母的话，很难想像仅靠家人和社会的救济能够根治他们的"穷"病，实现整个社会的富裕。

由于我有两个对我有影响力且可以向其学习的爸爸，迫使我不得不去思考每个爸爸的意见，由此，我认识到一个人的观念对其一生的巨大影响力。例如，一个爸爸爱说"我可付不起"这样的话，而另一个爸爸则禁止用这类话，他会说："我怎样才能付得起呢？"这两句话，一个是陈述句，另一个是疑问句，一个让你放弃，而另一个则促使你去想办法。那很快就致富的爸爸解释道，说"我付不起"这种话会阻止你去开动脑筋想办法；而问"怎样才能付得起"则开动了你的大脑。当然，这并不意味着人们必须去买每一件你想要的东西，这里只是强调要不停地锻炼你的思维——实际上人的大脑是世界上最棒的"计算机"。富爸爸时常说："脑袋越用越活，脑袋越活，挣钱就越多。"在他看来，轻易就说"我负担不起"这类话是一种精神上的懒惰。

虽然两个爸爸工作都很努力，但我注意到，当遇到钱的问题时，一个爸爸总会去想办法解决，而另一个爸爸则习惯于顺其自然。长期下来，一个爸爸的理财能力更强了，而另一个的理财能力则越来越弱。我想这种结果类似于一个经常去健身房锻炼的人与一个总是坐在沙发上看电视的人在体质上的变化。经常性的体育锻炼可以强身健体，同样地，经常性的头脑运动可以增加你获得财富的机会。懒惰必定会使你的体质变弱、财富减少。

就像我前面所说的，我的两个爸爸存在着很多观念上的差异。一个爸爸认为富人应该缴更多的税去照顾那些比较不幸的人；另一个爸爸则说："税是惩勤奖懒"。一个爸爸说："努力学习能去好公司工作"；而另一个则会说："努力学习能发现并将有能力收购好公司"。一个说："我不富的原因是我有孩子"；另一个则说："我必须富的原因是我有孩子"。一个禁止在晚饭桌上谈论钱和生意，另一个则鼓励在吃饭时谈论这些话题。一个说："挣钱的时候要小心，别去冒险"；另一个则说："要学会管理风险"。一个相信"我们家的房子是我们最大的投资和资产"，另一个则相信"我们家的房子是负债，如果你的房子是你最大的投资，你就有麻烦了"。两个爸爸都会准时付账，但不同的是：一个在期初支付，另一个则在期末支付。

一个爸爸相信政府会关心你、满足你的要求。他总是很关心加薪、退休政策、医疗补贴、病假、工薪假期以及其他额外津贴这类的事情。他的两个参了军并在 20 年后获得了退休和社会保障金的叔叔给他留下了深刻的印象。他很喜欢军队向退役人员发放医疗补贴和开办福利社的做法，也很喜欢通过大学教育继而获得稳定职业的人生程序。对他而言，劳动保护和职位补贴有时看来比职业本身更为重要。他经常说："我辛辛苦苦为政府工作，我有权享受这些待遇"。

另一个爸爸则信奉完全的经济自立，他反对这种"理所应当"的心理，并且认为正是这种心理造就了一批虚弱的、经济上依赖于他人的人。他提倡竞争。

一个爸爸努力存钱，而另一个不断地投资。

一个爸爸教我怎样去写一份出色的简历以便找到一份好工作；另一个则教我写下雄心勃勃的事业规划和财务计划，进而创造创业的机会。

作为两个强有力的爸爸的塑造品，我有幸观察到不同观念是怎样影响一个人的一生的，我发现人们的确是在以他们的思想塑造他们的生活道路。

例如，穷爸爸总是说："我从不富有"，于是这句话就变成了事实。富有的爸爸则总是把自己说成是一个富人。他拒绝某事时会这样说："我是一个富人，而富人从不这么做"，甚至当一次严重的挫折使他破产后，他仍然把自己当作是富人。他会这样鼓励自己："穷人和破产者之间的区别是：破产是暂时的，而贫穷是永久的。"

我的穷爸爸会说："我对钱不感兴趣"或"钱对我来说不重要"，富爸爸则说："金钱就是力量"。

尽管思想的力量从不能被测量或评估，但当我还是一个小男孩时，我已经开始明确地关注我的思想以及我的自我表述了。我注意到穷爸爸之所以穷不在于他挣到的钱的多少（尽管这也很重要），而在于他的想法和行动。我必须极其小心地选择他们两位向我传递的思想并为我所用。唉，我有两个爸爸，我究竟应该听谁的话：穷爸爸还是富爸爸？

两个爸爸都很重视教育和学习，但两人对于什么才是重要的、应该学习些什么的看法却不一致。一个爸爸希望我努力学习，获得好成绩，找个挣钱多的好工作，他希望我能够成为一名教授、律师或会计师，或者去读 MBA。另一个爸爸则鼓励我学习挣钱，去了解钱的运动规律并让这种运动规律为我所用。"我不为钱工作"，这是他说了一遍又一遍的话，"钱要为我工作。"

在我 9 岁那年，我最终决定听富爸爸的话并向他学习挣钱。同时，我决定不听穷爸爸的，即使他拥有各种耀眼的大学学位。

罗伯特·弗罗斯特的教诲

罗伯特·弗罗斯特是我最喜欢的诗人，虽然我喜爱他的许多诗，但最喜欢的还是下面这首"未选之路"。每当我读起这首诗，我都能从中得到某些启发：

未选之路[*]

林中两路分，　　　　两路林中伸，

可惜难兼行。　　　　落叶无人踪。

游子久伫立，　　　　我选一路走，

极目望一径。　　　　深知路无穷。

蜿蜒复曲折，　　　　我疑从今后，

隐于丛林中。　　　　能否转回程。

我选另一途，　　　　数十年之后，

合理亦公正。　　　　谈起常叹息。

草密人迹罕，　　　　林中两路分，

正待人通行。　　　　一路人迹稀。

足迹踏过处，　　　　我独选此路，

两路皆相同。　　　　境遇乃相异。

——罗伯特·弗罗斯特（1916）

---

* 注：此诗为关山译。

选择不同，命运也是不同的。

这么多年以来，我时常回味弗罗斯特的这首诗。的确，选择不听从受过高等教育的爸爸在钱上的建议和态度是一个痛苦的决定，但这个决定塑造了我的余生。

一旦决定了听从谁，我的关于金钱的教育就正式启动了。富爸爸整整教了我30年，直到我39岁时，他意识到愚笨的我已懂得并完全理解了他一直努力向我反复讲述的东西时，他才结束了对我长达30年的教育。

钱是一种力量，但更有力量的是有关理财的教育。钱来了又去，但如果你了解钱是如何运转的，你就有了驾驭它的力量，并开始积累财富。光想不干的原因是绝大部分人接受学校教育后却没有掌握钱真正的运转规律，所以他们终生都在为钱而工作。

由于我开始金钱这门课的学习时只有9岁，因此富爸爸只教我一些简单的东西。当他把所有想教给我的东西说完做完时，总共也只有6门主要的课程，但这些课程在我的脑海中重复了30多年。本书下面的内容就是关于这6门课的介绍，其形式简单得就如同当年富爸爸教我时那样。这些课程不是最终答案而是一个向导，一个在这个不确定和飞速变化的世界中帮助你和你的孩子积累财富的向导。

第一课　富人不为钱工作
第二课　为什么要教授财务知识
第三课　关注自己的事业
第四课　税收的历史和公司的力量
第五课　富人的投资
第六课　不要为金钱而工作

第一课

富人不为钱工作

第二章

第一课：富人不为钱工作

怎样才能变得富有？

"爸，你能告诉我怎样才能变得富有吗？"爸爸放下手中的晚报，问："你为什么想变得富有呢，儿子？""因为这个周末基米的妈妈会开一辆新的卡迪拉克带基米去海滨别墅度周末。基米还说要带三个朋友去，但我和迈克没有被邀请，他们说我们不被邀请是因为我们是穷孩子。"

"他们真这么说了吗？"爸爸不相信地问。

"是啊，他们说了！"我带着一种受到伤害的声调答道。

爸爸沉默地摇了摇头，把他的眼镜往鼻梁上推了推，然后又去读报纸了。我站在那儿期待着答案……

那年是 1956 年，我 9 岁。由于命运的安排，我进了一所公立学校，许多富人把他们的孩子也送到那所学校。我们镇基本上是个糖料种植场，种植场的经理和其他富裕的人，比如医生、商人、银行家都把孩子送进了这所学校，一到六年级都有。六年级之后他们的孩子通常会被送进私立学校。因为我家就在这个街区，所以我也进了这所学校。如果我家住在街的另一边，或许我会去另外一所学校，和那些家庭背景与我差不多的孩子们在一起了。并且六年级之后，我会和那些孩子一道去上公立的中学和高中，因为没有为我们这类孩子设立的私立中学。

爸爸终于放下了报纸，我敢说他刚才一定是在思考我的话。

"哦，儿子，"他慢慢地开口了，"如果你想变得富有，你就必须学会挣钱。"

"那么怎么挣钱呢？"我问

"用你的头脑，儿子。"他说着，并微笑了一下，这种微笑意味着"这就是我要告诉你的全部"，或者"我不知道答案，别为难我了"。

建立合伙关系

第二天一早，我就把爸爸的话告诉了我最好的朋友迈克。迈克和我可以说是学校里仅有的两个穷孩子。他和我一样由于命运的捉弄而进了这所学校。其实我们俩的家里并不是真的很穷，但我们感觉我们很穷，因为其他的男孩都有新棒球手套、新自行车，他们的东西都是新的。

妈妈和爸爸也为我们提供了基本生活品，像吃的、戴的、穿的，什么都不缺，但也仅此而已。我爸爸常说："想要什么东西，自己挣钱买。"我们想要东西，但的确没有什么工作可以提供给像我们这样大的 9 岁男孩。

"我们该怎么挣钱呢？"迈克问。"我不知道，"我说，"你想做我的合伙人吗？"

于是，就在那个星期六的早晨，迈克成了我的第一个业务伙伴。我们花了整整一个上午去想挣钱的法子，其间常常不由自主地谈起那些"冷酷的家伙"正在基米家的海滨别墅里玩乐。这实在有些伤人，但却是好事，它刺激我们继续努力去想挣钱的法子。最后，到了下午，一个念头在我们的头脑中闪过，这是迈克从以前读过的一本科普书里得到的主意。我们兴奋地握手，现在我们的合伙关系终于有了实质的业务内容。

在接下来的几星期里，迈克和我跑遍了邻近各家，敲开他们的门问他们是否愿意把用过的牙膏皮攒下来给我们。迷惑不解的大人们微笑着答应了，有的问我们要它做什么，对此我们回答道："这是商业秘密"。

几星期过去了，我妈变得心烦起来，因为我们选了一个靠近她洗衣机的地方放置我们的原料。在一个曾用来盛番茄酱的大罐子里，积攒在那儿的用过的牙膏皮正在慢慢变多。

看到邻居们脏乱、卷曲的废牙膏皮都到了她这儿，妈妈最后采取了行动。"你们两个到底想要干什么？"她问，"我不想再听到'商业秘密'之类的话，赶快处理掉这些脏东西，否则我就会把它们全扔出去！"

迈克和我苦苦哀求，说我们已经快攒够了，只等一对邻居夫妇用完他们的牙膏后，我们就可以马上开始生产了。经过一番口舌，最后妈妈给了我们一周的延期。

来自妈妈的压力使我们的生产日期提前了。我的第一桩生意，由于货仓收到了妈妈的逐客令而出现危机，迈克的任务变成了告诉邻居们快些用完他们的牙膏，告诉他们牙医希望他们比平常更多地刷牙，我则开始组装生产线。按照时间表，生产将于一星期后正式开始。开始生产的日子终于到了。爸爸带着一个朋友驱车而至，来看两个9岁男孩在公路边合力操弄一条生产线。空气中飞扬着的是细细的白色粉末，在一个长桌上是一些从学校拿来的废牛奶纸盒以及家里的烧烤架，烧烤架已经被发红的炭烤到了极热，发着白光。

爸爸小心地走过来，由于生产线挡住了车位他不得不把车停在路边。当他和他朋友走近时，他们看见一个钢壶架在炭上，里面的废牙膏皮正在熔化。在那个时候，牙膏皮还不是塑料做的，而是铅制的。所以一旦牙膏皮上的涂料被烧掉后，被放在钢壶中的铅皮就会烧熔，直到变成液体。当铅皮到达熔点时，我们就用妈妈的抓锅布垫着，将溶液从牛奶盒顶的小孔中小心地注入到牛奶盒中。

牛奶盒里装满了熟石膏，满地的白色粉末是我们将灰和水混和时弄的，由于我一时匆忙，打翻了小包，所以弄得到处是白灰，好似下了场雪。牛奶盒就是石灰模的外部容器。

爸爸和他的朋友注视着我们小心翼翼地把熔铅注入到灰管顶部的小孔中。

"小心！"老爸说。

我也顾不上抬头了，只是点点头。

最后，当溶液全部倒入石灰模后，我放下钢壶，向老爸绽开了笑脸。

"你们在干什么？"他带着谨慎的微笑问道。

"我们正在按你告诉我的话做，我们就要变成富人了！"我说。

"是的，"迈克咧嘴笑着点头说道，"我们是合伙人。"

"这些灰模子里面是什么东西？"老爸有些好奇地问。

"看，"我说，"这是已经铸好的一炉"。我用一个小锤子敲开了密封物并把管子分成两半，我小心地抽掉灰模的上半部，一个铅制的五分硬币便掉了下来。

"噢，天啊，"老爸叫了起来，用手摸着额头："你们在用铅造硬币！"

"对啊，"迈克说，"我们按你说的，在自己挣钱呐。"

爸爸的朋友转过身去爆发出一阵大笑，爸爸则微笑着摇着头。在一堆火和一堆废牙膏皮旁，他面前的两个白灰满面的小男孩正在开心地笑着。

爸爸要我们放下手里的东西和他坐到屋外的台阶上，然后他微笑着和蔼地向我们解释了"伪造"一词的含义。

我们的梦想破灭了！"你的意思是说这么做是违法的？"迈克用颤抖的声音问。

"别怪他们，"我爸爸的朋友说，"他们也许会成为天才呢。"

我爸爸瞪了他一眼。

"对，这是违法的。"爸爸温和地说，"但是，孩子们，别灰心，我为你们刚才表现出来的巨大的创造性和独立思考精神而感到骄傲。"

失望之中，迈克和我在沉默中坐了 20 分钟才开始收拾残局。我们的生意在刚开始的第一天就结束了。把粉扫拢时，我望着迈克沮丧地说："我想基米和他的朋友们是对的，我们只能当穷人了。"

爸爸正要离开时听到了这话，"孩子，"他转过身来说，"如果你们放弃了你们才真的只能当穷人了。一件事情的成败并不重要，重要的是你们曾经尝试过。要知道大多数人只是谈论和梦想发财，而你们已经付出了行动。我再说一遍，我为你们骄傲，孩子们，别灰心，别放弃。"

迈克和我沉默地站在那儿，话挺对，但我们仍不知应该干些什么。

"那你为什么不富有呢，爸爸？"我问。

"因为我选择了当中学老师。中学老师要专心教书，不该去想怎么发财。我希望我能帮你们，但我真的不知道如何才能赚大钱。"

迈克和我又回去继续清理现场。

爸接着说："如果你们希望了解如何致富，不要问我，去和你爸谈谈，迈克。"

"我爸？"迈克皱着眉头。

"对，你爸爸。"爸爸微笑着说，"你爸爸和我都认识的一个银行经理，他对你爸爸非常崇拜。他有好几次对我提过说你爸爸在赚钱方面是个天才。"

"我爸？"迈克难以置信地问，"那我家为什么没有好车和好房子，就像学校里的那些有钱的孩子一样呢？"

"高级车和高档房子并不必然意味着你很富有或你懂得如何赚钱，"爸爸答道，"基米的爸爸为糖料种植园工作，他和我并没有多大差别，他为公司工作而我为政府工作，是公司为他买了那辆车。但据说种植园正处于财务困境之中，基米的爸爸可能过不了多久就什么都没有了。而你爸爸则不同，迈克，他似乎正在建立一个属于自己的帝国。我相信几年之内他就会成为一个非常富有的人。"

听到这番话，我和迈克又兴奋起来了。带着新的希望，我们迅速清理了首次失败的生意所造成的混乱。我们还一边清理一边制定了一个与迈克爸爸谈话的计划，例如该怎样谈，何时谈。问题在于迈克的爸爸工作时间很长，并且经常很晚才回家。他爸爸有一个货仓，一个建筑公司，一些店铺和三个餐馆。正是这些餐馆使他在外面要呆到很晚。

清理完毕后迈克搭上了回家的公共汽车，他会在他爸爸晚上回家后和他谈谈，并问他是否愿意教我们如何赚钱。迈克答应和他爸爸谈完后无论多晚都给我回电话。

晚上 8:30 电话响了。

"下周六，太好了！"迈克的爸爸同意与我们会面。

课程开始了

"我每小时付给你 10 美分"。

即使以 1956 年的报酬标准看，10 美分一小时也是极低的。

迈克和我在那天上午 8 点和他爸爸会面了。他仍然很忙而且会面前已经工作了 1 个多小时了。他的建筑监理人刚坐着他的卡车离开，我就进了他那窄小而简朴整洁的家，迈克站在门口迎接我。

"我爸正在打电话，他让我们在走廊后面等着。"迈克边说边开门。

当我举步跨过这座老房子的门槛时，旧木地板发出"嘎嘎"的响声。门内地板上有个廉价的垫子，这个垫子的磨损程度记录了经年累月无数次踏上这个地板的脚步，虽然很干净，但还是该换了。

当我进入到狭小的卧室时感到有些害怕，这间卧室里塞满了陈旧发霉而厚重的家具，它们早该成为收藏者的藏品了。在沙发上坐着两个女人，她们的岁数比我妈大一些，她们的后面还坐着一个穿工作服的男人。他穿着卡其布的衬衫和外套，衣服烫得很平整，但没有浆过，他手上拿着磨得发光的工作簿。他大概比我爸爸大 10 岁的样子，我想大概 45 岁吧。当我和迈克走过他们身边时他们冲我们微笑着，我们朝厨房走去，穿过橱房可以到后院。我也有点腼腆地冲他们笑笑。

"他们是什么人？"我问迈克。

"噢，他们是给我爸干活的。那个老点的男人负责管理货仓，那两个女人是餐馆经理。刚才在门口你也看到建筑监理人了，他在离这儿 50 英里远的一个公路项目中工作。还有一些监理正在负责房屋建设的项目，不过他们在你到这里之前就已经走了。"

"每天都是这样的吗？"我问。

"并不总是，但经常是这样的。"迈克说着拉了一张椅子坐在我身边。

"我问过他愿不愿意教我们挣钱。"迈克说。

"哦，那他怎么说？"我急切地问。

"嗯，开始时他脸上有一种取笑的表情，然后他说会给我们一个建议。"

"噢！"我说着，用两个椅子后腿撑着，把椅子靠着墙翘起来。

迈克也学着我这么做。

"会是什么建议呢？"我又问。

"不知道，但很快就会清楚了。"迈克说。

突然，迈克的爸爸推开那扇摇摇晃晃的门走进了门廊，迈克和我跳了起来，不是出于尊敬而是因为吓了一跳。

"准备好了吗，孩子们？"迈克的爸爸问道，随手拖了把椅子坐到我们旁边。

我们点着头，把椅子移到他面前坐下。

他也是个大块头的男人，大约有 6 英尺高，200 磅重。我爸的个子要更高些，但和他差不多重。我爸比迈克的爸爸大 5 岁，他们看上去很像同一类人，但气质有些不同，也许他们的力气都那么大，我在想。

"迈克说你们想学赚钱，对吗，罗伯特？"

我快速地点点头，心里有点儿忐忑，在他的微笑和话语后面似乎隐藏着一股很强的力量。

"好，这就是我的建议：由我来教你们赚钱，但我不会像在教室里教学生那样教你们，你们得为我工作，否则我就不教。因为通过工作我可以更快地教会你们，如果你们只想坐着听讲，就像在学校里那样的话，那我就是在浪费时间了。怎么样？小伙子们，这就是我的建议，你们可以接受也可以拒绝"。

"嗯……我可以先问个问题吗？"我问。

"不能，你只能告诉我是接受还是拒绝。因为我有太多的事要做，不能浪费时间。如果你不能下定决心，就永远也学不会如何赚钱。要知道，机会总是转瞬即逝，要想成功必须迅速作出决定。你看，现在你有一个你想要的机会，但这个赚钱学校可以在10 秒钟内开学或者关门，那么你……"迈克的爸爸微笑着看着我们，却并没有说下去。

"接受。"我说。

"接受。"迈克也说。

"好！"迈克的爸爸说道，"马丁夫人会在几分钟内到达。等我和她办完事后，你们跟她去我的杂货店，你们可以在那儿开始工作了。我每小时付给你们 10 美分，你们每周六来工作 3 个小时。"

"但我今天有一场棒球比赛！"我说。

迈克的爸爸降低声调严厉地说："接受或者拒绝。"

"我接受。"我赶忙回答，我决定去工作和学习而不去打棒球了。

30 美分以后

从一个美好的星期六早上 9 点起，迈克和我正式开始给马丁夫人干活了。马丁夫人是一个慈祥而有耐心的女人，她总是说迈克和我使她想起她的两个儿子，她的两个儿子长大后就离开了她。马丁夫人虽然很慈祥，却强调应该努力工作，她让我们不停地干活。她是一个很好的监工，3 个小时里，我们不停地把罐装食品从架子上拿下来，用羽毛掸掸去每个罐头上的灰尘，然后重新把它们码放好。这工作真的很乏味。

迈克的爸爸，就是我称为"富爸爸"的那一位，拥有 9 个这样的小型超市，它们是"7~11"便利店的早期版本，当时除了这些小型超市以外附近几乎没有可以买到牛奶、面包、黄油和香烟的杂货店，所以生意还不错。问题是，这是在空调出现之前的夏威夷，由于炎热，商店不可能关上门。而店的两边有许多停车位，每当一辆车开过或驶进车位，灰尘就漫天扬起飘入店内。

于是，在还没有空调的时代，**我们就有事可干了。**

此后的三个星期中，每周六迈克和我向马丁夫人报到并在她那儿工作 3 个小时。中午以前，我们的工作就结束了，她就在我们每人的手中放下三个小钢蹦儿。即使是在 50 年代中期，对于 9 岁的男孩来说，30 美分也并不十分令人激动，因为就算买一本小人书也得花上 10 美分呢。

第四个星期的星期三，我准备退出了。我答应工作是因为我想从迈克爸爸那里学会赚钱，而现在我却成了每小时 10 美分的奴隶。更糟糕的是，自从第一个星期六后我就一直没见到过我们的赚钱老师——迈克的爸爸。

"我要退出。"吃午饭的时候我对迈克说。学校的午饭糟透了，上课也没劲，而且我现在几乎一点也不盼着过星期六了。因为对我而言，现在的星期六换来的仅仅是每周的 30 美分。

迈克得意地笑了。

"你笑什么？"我沮丧而气恼地问。

"我爸说早料到了，他说如果你不想干了就让我带你去见他。"

"什么？"我感到受了愚弄，气愤地问，"他早就在等我去找他？"

"是的，我爸是个不一般的人，他跟你爸的教育方法不一样。你爸你妈说得多，我爸说得少，不过他早就猜到了你会这么说的。你要等到这个周六，我会告诉他你已经准备好了。"

"你是说我被设计了？"

"还不肯定，但有可能。我爸会在周六说明的。"

星期六的排队等候

我已经准备好要面对迈克的爸爸说个明白，连我的亲爸爸也生气了。我的亲爸爸，就是我前面说的较穷的那个，认为我的富爸爸违反了童工法应该受到调查。

我那受过高等教育的爸爸要我去争取应有的待遇，每小时至少25美分。爸爸说如果我得不到加薪，就应该立即退出。

爸爸气愤地说："你根本不需要那份该死的工作。"

星期六早上8点，我又穿过了迈克家那扇摇晃着的大门。

"坐下等着。"迈克的爸爸在我进门时对我说，说完便转身消失在他那卧室边的小办公室里。

我四下看看，没发现迈克，我感到有些局促，小心地坐到了沙发上，四个星期前见过的那两个女人笑着给我挪出了点地方。

45分钟过去了，我开始冒火，那两个女人已经在30分钟前会见完毕离开了。那个老绅士在呆了20分钟后，也办完事走了。

一个小时过去了，那天夏威夷阳光灿烂，外边时不时地传来大人、孩子嬉戏的笑声，而我却仍在那幢陈旧黑暗的屋子里坐着，等候一个剥削童工的小商人的召见。我能听见他在办公室里沙沙地走动、打电话，但就是不理我。我真的想出去了，但不知为什么我没有走。

又过了15分钟，正好9点，富爸爸终于走出了他的办公室。他什么也没说，用手示意要我跟着他去那间小办公室。

"你要求加薪，否则你就不干了，是吗？"他边说边在椅子里摇来摇去。

"你不讲信用！"我脱口而出，眼泪差点掉下来。这样的事对一个9岁的小男孩来说是觉得挺委屈的。

"你说过如果我为你工作，你就会教我。好，我给你干活，我工作努力，我甚至放弃了棒球比赛来为你工作，而你却说话不算数，你什么也没教我！就像镇上每个人说的那样，你言而无信，还贪心。你想要所有的钱而毫不关心你的雇员。此外，你一点儿也不尊重我，让我等了这么久。我只是个小孩，我应该得到优待！"。

富爸爸在摇椅里向后一靠，手摸着下巴盯着我，好像在研究我。

"不错，"他说，"还不到 1 个月，你已经有点像我的其他雇员了。"

"什么？"我问。我并未听明白他的话，心里更加气愤不已。"我想你会如约教我，然而你却想折磨我？这太残忍了，真的太残忍了！"

"我正在教你。"富爸爸平静地说。

"你教我什么了？什么也没有！"我生气极了，"自从我为那几个小钱干活以来，你甚至没和我说过话！10 美分 1 小时！哈，我应该到政府那儿告你！你知道，我们有《童工法》，我爸可是为政府工作的。"

"哇！"富爸爸叫道，"现在你看上去就像大多数给我干过活的人了，他们要么被解雇要么辞职不干了。"

"这正是我想要做的！"我说道。作为一个小孩，我觉得自己很有勇气。"你骗了我，我为你工作，而你却不守信用，你什么也没教我"。

"你怎么知道我什么都没教你？"富爸爸仍然平静地问我。

"你从不和我说话，我给你干了三个星期，而你什么也没教给我。"我撅着嘴说。

"教东西一定要说或讲吗？"富爸爸问。

"是呀。"我回答道。

"那是学校教你们的法子，"他笑着说，"但生活可不是这样的教法。你知道吗，生活才是最好的老师，大多数时候，生活并不对你说些什么，它只是推着你转，每一次推，它都像是在说'喂，醒一醒，有些东西我想让你学学'。"

"这家伙在说些什么？"我暗自问自己。"生活推着我转就是生活在对我说话？"现在我知道我必须辞职了，我正在和一个应该被关进精神病院的家伙说话。

但富爸爸仍在说："假如你弄懂了生活这门大课，做任何事情你都会游刃有余。但就算你学不会，生活照样会推着你转。所以生活中，人们通常会做两件事，一些人在生活推着他转的同时，抓住生活赐予的每个机会；而另一些人则听任生活的摆布，不去与生活抗争。他们埋怨生活的不公平，因此就去讨厌老板，讨厌工作，讨厌家人，他们不知道生活也赐予了他们机会。"

当时我还是不太明白富爸爸的话。

"生活推着我们所有的人，有些人放弃了，有些人在抗争。学会了这一课的少数人会进步，他们欢迎生活来积极地推动他们，对他们来说，这种推动意味着他们又可以去学习一些新的东西，然后再进步。当然，大多数人还是放弃了，一部分人像你一样还在抗争。"

富爸爸站起来，推开那扇破旧失修的窗子，"如果你学会了这一课，你就会成为一个智慧、快乐而富有的人。如果你没有学会，你就只会终生抱怨工作、报怨低报酬和难以相处的老板，你会生活在一劳永逸地把你所有的钱的问题都解决的幻想中。"

富爸爸抬眼看我是否在听。他的眼光与我相遇，我们互相对视着，通过眼睛互相交流着，最后，当我接收了他全部的信息后，我将眼睛转开了。我知道他是对的，我需要向他学习。

富爸爸继续说："如果你是那种没有毅力的人，你将放弃生活对你的每一次推动。这样的话，你的一生会过得稳稳当当，不做错事、随时准备着当永远不会发生的事情发生时解救自己，然后，在无聊中老死。你会有许多像你一样的朋友，希望生活稳定、处世无误。但事实是，你对生活屈服了，不敢承担风险。你的确想赢，但失去的恐惧超过了成功的兴奋，事实是从内心深处，你就始终认为你不可能赢，所以你选择了稳定。"

我们的眼光又相遇了。十秒钟之久，我们互相注视着，直到相互明白了对方的心意。

"你一直想推动我吗？"我问。

"可以这样说，但我宁愿说我是在让你品尝生活的滋味。"富爸爸笑道。

"什么是生活的滋味？"我问，怒气未消，但充满好奇，甚至准备聆听教诲了。

"你们俩是第一个请求我教授如何赚钱的人，我有150多个雇员，但没有一个人请教过我这个问题。他们只是要求工作，并获得报酬。他们把一生中最好的年华用来为钱而工作，却不愿去弄明白工作到底是为了什么。"

我坐在那儿专心地听着。

"所以当迈克告诉我你们想赚钱时，我决定设计一个和真实生活相近的课程。虽然我也可以说得精疲力尽，但你们会左耳进，右耳出，所以我决定让生活给你们演示一下，这样你们就会听懂我想说的话了，这也就是为什么我每小时只给你们 10 美分的用意。"

"那么 10 美分一小时的工作又有什么教益呢？"我问，"是说工人很便宜，可以去剥削他们吗？"

富爸爸向后靠去并开心地笑了起来，随后说："你最好改变一下观点，停止责备我，你是不是以为我有毛病。如果你认为我有病，你得想法儿改变我；如果你认为问题在你那儿，你就得去学习，然后改变自己，让自己变得更聪明。大多数人认为世界上除了自己外，其他人都应该改变。让我告诉你吧，改变自己比改变他人更容易。"

"我不明白。"我说。

"别拿你的毛病来责备我。"富爸爸说，他开始有些不耐烦了。

"可你每小时只给我 10 美分哪！"

"那么你学到了什么？"他笑着问。

"我很便宜。"我不好意思地笑着说。

"瞧，你还是觉得问题在我这儿呢。"富爸爸说。

"可的确是这样呀。"

"好吧，如果你继续保持这种态度，你就什么也学不到。反过来，如果问题的确在我，你该怎么办？"

"嗯，请你提高我的工资，对我更尊重些并教我如何赚钱。"

"噢，是吗？"富爸爸说，"大部分人会这么干，他们辞职，然后去找另一份工作，期望能得到更好的机会、更高的报酬，认为一份新的工作或更高的报酬会解决所有问题。而在大多数情况下，这是不可能的。"

"那我该怎么办呢？"我问，"接受这可怜兮兮的每小时 10 美分然后还要微笑吗？"

富爸爸笑了。"有些人会这么做的，仅仅因为他们和他们的家庭需要钱而接受这份工资，但他们所做的只是等待，等待着能有机会让他们挣到更多的钱使问题解决。于是大部分人接受了，有些人做两份工并且非常努力地工作，但仍只能得到很少的报酬。"

我坐在那里，眼睛盯着地板，开始听懂富爸爸的这一课。我感到这的确是生活的原味。最后，我抬起头，又重复了前面的问题："那么怎样才能解决问题呢？"

"用这个，"他说着轻轻地拍着我的脑袋，"你两个耳朵之间的这个家伙。"

直到那一刻富爸爸才显示了他区别于他的职员和我穷爸爸的关键的东西——这一点让他最终成为了夏威夷最富的人之一。而我受过良好教育的爸爸则一生都在与财务问题抗争。富爸爸独特的观念使他的一生都与众不同。

富爸爸后来又一遍一遍不厌其烦地讲到这个观点，这就是我称之为"第一课"的内容。

穷人和中产阶级为钱而工作，富人让钱为他们工作

在那个明媚的星期六上午，我接受了一种与穷爸爸教我的方式完全不同的学习方式。就在那一刻，我意识到两位爸爸都希望我去学习，鼓励我去研究，但研究的内容不同。

我那受过高等教育的爸爸建议我按他的模式去做。"儿子，我希望你努力学习，得到好成绩，这样你就能在大公司里找一份稳定的工作，而且会收入不菲。"富爸爸却希望我去研究钱的运动规律，好让钱为我所用。在他的指导下我会在生活中而不是在教室里学习这些课程。

富爸爸继续着我的第一课："我很高兴你为每小时 10 美分而生气，如果你不生气而是高兴地接受了它，那我只能告诉你我没

法教你。真正的学习需要精力、激情和热切的愿望。愤怒是其中一个重要的成分，因为激情正是愤怒和热爱的结合物。说到钱，大多数人希望稳稳妥妥地挣到，他们很少有挣钱的激情，于是，只好有没钱的恐惧。"

"这就是他们接受低工资工作的原因喽？"我问。

"是呀，"富爸爸说，"因为我比种植园和政府付给员工的少，有人说我剥削人，我说是他们自己剥削自己，而不是我。"

"但你没觉得你该多给点儿吗？"我问。

"没这必要。而且，再多一点的钱也不会解决问题。比如你父亲，挣钱也不少，但仍会欠账。对大多数人而言，给的钱越多，他欠的债也就越多。"

"这就是 1 小时 10 美分的原因？"我笑了，"课程的第一部分。"

"没错。"富爸爸也笑了，"你瞧，你爸进了大学而且受到很好的教育，所以他能得到一份高薪的工作。他的确也得到了，但他还是为钱所困，原因就是他在学校里从来没学过关于钱的知识。而且最大的问题是，他相信工作就是为了钱。"

"你不这么认为吗？"我问。

"当然不是，"他说，"如果你想为钱而工作，那就呆在学校里学吧，那可是一个学习这种事的好地方。但是如果你想学习怎样使钱为你所用，那就让我来教你。不过首先你得想学。"

"难道不是每个人都想学吗？"我问。

"不是，"他说，"因为学习为钱工作很容易，特别是当你谈到钱时的第一感觉是恐惧时，学习为钱工作就更容易了。可学习怎样使钱为你工作却要难得多。"

"我不明白。"我皱着眉头。

"别担心，你只须知道，正是出于恐惧心，人们大多害怕失去工作，害怕付不起账单，害怕遭到火灾，害怕没有足够的钱，害怕挨饿，大多数人期望得到一份稳定的工作。为了寻求稳定，他们会去学习某种专业，或做生意，拼命为钱而工作，大多数人成了钱的奴隶，然后把怒气对准他们的老板。"

"学习让钱为我所用是一种完全不同的课程吗？"我问。

"是的，"他重复道，"绝对不同。"

在这个美丽的夏威夷的早晨，我们静静地坐着。我的朋友们应该已经开始他们新一季的棒球联赛了，但不知为什么，我现在开始庆幸决定干这1小时10美分的工作了，我感到我学到了我的朋友们在学校里所学不到的一些东西。

"准备好了吗？"富爸爸问。

"是的。"我咧嘴笑了。

"我可是遵守了诺言的，我已经带你去看到了你的未来。"富爸爸说，"9岁时，你已经有了为钱而工作的体验。只须把上个月重复50年，你就知道大多数人是如何度过一生的了。"

"我不明白。"我说。

"你两次等着见我时有何感觉？一次是被雇用，一次是要求加薪。"

"真可怕。"我说。

"如果选择为钱而工作，这就是许多人所过的生活。"

"那么每次三小时工作结束，马丁太太给你三个硬币时，你又有什么感觉？"

"我觉得不够。看上去就像什么也没给似的，真让人失望。"

"这也正是大多数雇员拿到他们工资单时的感觉，此外还要扣除税和其他一些项目。至少，你拿到的还是100%的工资"。

"你是说工人们拿到的不是全部工资？"我吃惊地问。

"当然不是，政府要先拿走一份，这就是税。"富爸爸说，"你有收入时得交税，当你消费时也得交税。你存钱时得交税，你死时还得交税。"

"政府怎么能这样？"

富爸爸坐在那儿沉默不语，我猜想他希望我认真地听而不是插嘴胡说。

于是我安静了下来。说真的，我不喜欢听到关于税的事。我知道爸爸总是抱怨税收太高了，但也没办法。生活是否也推过他？

富爸爸在椅子里缓缓摇着，眼睛看着我。

"真的准备好跟我学习了吗？"他问。

我慢慢点点头。

"我得说，这里头有不少东西要学。学习怎样让钱为你所用将是一个漫长的、不断学习的过程，或许会持续一生。大多数人上了四年大学后，教育也就到头了，可我知道我会一辈子去研究钱这东西，因为我研究得越深，知道的东西也就越多。大多数人从不研究这个题目，他们去上班，挣工资，然后去开销，总也不明白为何老被钱所困扰，于是以为多点钱就能解决问题，却几乎没有人意识到缺乏财务知识才是他们真正的问题所在。"

"那我爸总头疼税的问题也是因为他没有财务方面的知识吗？"我疑惑地问。

"税只是如何让钱为你所用的一个极小的部分。今天，我只是想弄清你是否有热情去了解钱这东西。大多数人都没有这样的愿望，他们只想进学校，学点专业技能，轻松工作并且挣大钱。当他们某一天醒来面临严重的财务问题时，他们已不能停止工作。这就是只知道为钱工作而不知如何让钱为你工作的代价。你有热情学习吗？"

我点了点头。

"好，"他说，"现在回去干活，这次我什么报酬也不给。"

"什么？"我大吃一惊。

"听着。什么也不给。你每周六同样干三个小时，但这次不会再有每小时的10美分了。你不是说你想学不为钱而工作吗？所以我什么也不给你。"

我几乎不相信我的耳朵。

"我已经和迈克谈过了，他已经开始免费干活了，掸干净罐头上的尘土再把它们重新码好。你最好快点回去和他一块儿干。"

"这不公平，"我说，"你总得给点什么呀。"

"你说过你想学习。如果你现在不学，将来长大了就会像坐在会客室里的那两个女人和老头一样，为钱而工作并且希望我别解雇他们。或是像你爸那样，挣很多钱却眼看着债台高筑，希望靠更多的钱来解决问题。如果你想这样，我可以每小时付你10美分，你可以像其他大人那样，抱怨这里工资太低，辞职另找工作。"

"我还是不明白？"我问。

富爸爸又拍了拍我的头，"动动脑子，"他说，"如果你好好想一想，你会感谢我给了你一个机会，让你成为有钱人。"

我站在那儿，依旧不相信我达成的新协议。我是来要求增加工资的，而现在却被告知以后得白干。

富爸爸又一次拍着我的头说："慢慢想去吧，现在出去开始工作。"

第一课：富人不为钱工作

我没对爸爸说我没工钱了，他不会理解的，而且我也不想对他解释我自己也还弄不明白的事。

接下来的三个星期里，我和迈克每周六白干三小时。这工作不再让我心烦，过程也容易些了。只是无法参加球赛以及不能再买小人书让我耿耿于怀。

富爸爸在第三周周末的中午来了。我们听见他的卡车泊进了车位，以及发动机熄火的声音，他走进小店并且与马丁太太拥抱致意。在视察了店面的运营情况后，他走向冰淇淋柜，取出两个冰淇淋，付了钱，然后对我和迈克打了个手势说："孩子们，我们出去走走。"

闪开来往的汽车，我们穿过街道，又走过一大片草地，草地上许多大人正在打垒球。最后我们坐到一张草地远处的野餐桌前，富爸爸把冰淇淋递给我和迈克。

"还好吗？"他问。

"挺好。"迈克说。

我也点头同意。

"那学到了什么没有？"

迈克和我面面相觑，一起耸耸肩摇了摇头。

避开人一生中最大的陷阱

"你们正在学习一生中最重要的一课，你们应该学会思考。"富爸爸说道，"如果你学会了这一课，你将一生享受自由和安宁；如果没有学好这一课，你们就会像马丁太太和其他在这空场里玩垒球的人一样了此一生。他们为一点点钱而勤奋工作，兼有一种有工作的虚幻安全感，盼着一年三周的假期和工作 45 年后获得的一小笔养老金。如果你喜欢这样，我就把工资提到每小时 25 美分。"

"但他们都是努力工作的好人啊，你在嘲笑他们吗？"我问道。

一丝笑容浮上了富爸爸的面庞。

"马丁太太对我就像妈妈一样，我决不会那么残忍地对她。我上面的话可能听起来很无情，可是我正尽力向你俩说明一些事情。我想拓宽你们的视野以便让你们看清一些东西。这些东西甚至大多数成年人也从未有看见过，因为他们眼界狭窄，大多数人从未认识到他们身处困境。"

迈克和我还是不太明白他的话。他听起来很无情，然而我们能感到他确实急于想让我们明白一些事情。

富爸爸笑着又说了："25 美分 1 小时怎么样？这样是否能让你心跳加速？"

我摇摇头说："不会啊"，可事实上，25 美分 1 小时对我而言可真是一大笔钱啊！

"好，我每小时给你 1 美元。"富爸爸带着狡黠的笑容说。

我的心开始狂跳，头也开始发晕。"接受，快接受。"我的心里在喊，但我不相信我所听到的，所以什么也没说。

"好吧，每小时 2 美元。"

我那 9 岁的大脑和心脏几乎要爆炸了。毕竟这是 1956 年，每小时 2 美元将使我成为世界上最有钱的孩子！我无法想像能挣到这么多钱。我想说"好的"，我真想达成这笔交易，我似乎看见一辆新自行车，一副新棒球手套，以及当我拿出钱时同学们羡慕的表情。最重要的是，基米和他的朋友再也不能叫我穷人了，但不知怎么我仍未开口。

也许我的脑袋已经热昏了，但内心深处，我极其想要那每小时的2美元。

冰淇淋化了，流到了我手上。冰淇淋筒已经空了，蚂蚁正在享受着一团香精和巧克力。富爸爸看着两个孩子盯着他，眼睛睁得大大的，脑子里却空空如也。事实上，他正在考验我们，而且他也知道我们很想接受这笔交易。他知道每个人都有可以被击中的弱点，也知道每个人都有一种强大、坚定、无法用金钱收买的精神。问题在于哪一部分更强大。他在一生中考验了成百上千的人，每次的招工面试都是一番考验。

"好，5美元1小时。"

我的内心突然平静下来了，内心发生了一些变化。这个出价太高了，显得有些荒谬。在1956年，连成年人也没有几个人可以每小时挣5美元的。诱惑消失了，平静回来了。我慢慢地转过头去看迈克，他也在看我。我灵魂中软弱而贫乏的一面沉默了，而无法用钱收买的一面占了上风。面对钱，我开始心安神定。我知道迈克也一样。

"很好，"富爸爸轻轻地说，"大多数人都希望有一份工资收入，之所以会这样是因为他们有恐惧和贪婪之心。先说恐惧感，没钱的恐惧会刺激我们努力工作，当我们得到报酬时，贪婪或欲望又开始让我们去想所有钱能买到的东西。于是就形成了一种模式。"

"什么模式？"我问。

"起床，上班，付账，再起床，再上班，再付账……他们的生活就是在无穷尽地为这两种感觉而奔忙：恐惧和贪婪。给他们更多的钱，他们就会以更高的开支重复这种循环。这就是我所说的'老鼠赛跑'。"

"有什么法子吗？"迈克问。

"有，但只有少数人知道。我希望你俩能在工作和跟我学习的过程中找到解决的办法。这就是我不给你们任何工资的原因。"

"有什么提示吗？"迈克问，"我们工作得很累，尤其是白干的时候。"

"哦，第一步是讲真话。"富爸爸说。

"我们可没撒谎。"我叫道。

"我没说你们撒谎，我是说要分清真相。"

"那什么是真相？"

"靠你感觉，除了你自己谁也不能真正明白你的感觉。"

"你说这公园里的人，那些为你工作的人，还有马丁夫人，他们都没弄清楚这些东西？"

"我想是的。他们害怕没有钱，不愿面对没钱的恐惧，对此他们作出了反应但不是用他们的头脑。"富爸爸说着拍拍我们的头。"他们会去挣了点小钱，可快乐、欲望、贪婪会接着控制他们，他们会再作出反应，仍然是不加思考。"

"他们的感情代替了他们的思想。"迈克说。

"正是如此，他们不去分辨真相，不去思考，只是对感受作出反应。他们感到恐惧，于是去工作，希望钱能消除恐惧，但钱不可能消除恐惧。于是，恐惧追逐着他们，他们只好又去工作，希望钱能消除恐惧，但还是无法摆脱恐惧。恐惧使他们落入工作的陷阱，挣钱——工作——挣钱，希望有一天能消除恐惧。但每天他们起床时，就会发现恐惧又同他们一起醒来了。恐惧使成千上万的人彻夜难眠，忧心忡忡。所以他们又起床去工作了，希望薪水能杀死那该死的恐惧。钱主宰着他们的生活，他们拒绝去分辨真相，钱控制了他们的情感和灵魂。"

富爸爸静静地坐着，让他的话音渐渐消失。迈克和我听着他的话，但不能完全明白他在讲些什么。我经常奇怪于大人们为什么总是急急忙忙去工作，这事看起来真是无趣，而且他们看上去也不快活，但好像总有些东西使他们不断地急着去工作。

意识到我们已经尽可能地吸收了他的话后，富爸爸说："我希望你俩避开这个陷阱，这就是我想教你们的，而不只是发财，发财并不能解决问题。"

"不能吗？"我惊奇地问。

"不能。让我谈谈另一种感情：欲望，有人把它称为贪婪，但我宁可用欲望。希望一些东西更好、更漂亮、更有趣或更令人激动，这是相当正常的。所以人们总为了实现欲望而最终变成是为钱工作。他们认为钱能买来快乐，可用钱买来的快乐往往是短暂的，所以他们不久就需要更多的钱来买更多的快乐、更多的开心、更多的舒适和更多的安全。于是他们工作又工作，以为钱能使他们那被恐惧和欲望折磨着的灵魂平静下来，但实际上钱无法满足他们的欲望。"

"即使是富人？"迈克问。

"富人也是如此。事实上，许多人致富并非出于欲望而是由于恐惧，他们认为钱能消除那种没有钱、贫困的恐惧，所以他们积累了很多的钱，可是他们发现恐惧感更加强烈了，他们更加害怕失去钱。我有一些朋友，已经很有钱了，但还在拼命工作，甚至有些百万富翁比他们穷困时还要恐惧。这种恐惧使他们过得很糟糕，他们精神中虚弱贫乏的一面总是在大声尖叫：我不想失去房子、车子和钱给我带来的上等生活。他们甚至担心一旦没钱了，朋友们会怎么说。许多人变得绝望而神经质，尽管他们很富有。"

"那穷人是不是要快活些？"我问。

"我可不这么认为。闭口不谈钱就像依赖钱一样是一种心理疾病。"

这时，就像约好了似的，镇上的乞丐走过我们的桌子，停在一大堆垃圾罐旁翻捡起来。我们三个极有兴趣地注视着他，刚才我们几乎没意识到他的存在。

富爸爸掏出1美元，向乞丐招招手。看到钱，乞丐立即走过来，他收了钱，含糊不清地道了谢就欣喜若狂地拿着他的钱走了。

"他与我的大多数雇员并没有太大差别，"富爸爸说，"我遇到过很多人，他们说'我对钱没兴趣'，可他们却一天工作8小时并不停地抱怨工作无聊。如果他们对钱没兴趣，又何必干自己不喜欢的工作呢？这种人比敛财的人病得更重。"

当我坐在那儿听着富爸爸的话时，脑中无数次地闪出了我爸爸的话："我对钱不感兴趣。"他常说这句话，他说："我工作是因为我热爱这个职业。"

"那我们该怎么办？"我问，"不为钱工作直到所有的恐惧和贪婪都消失吗？"

"那只会浪费时间。人需要有感情，它使我们真实，感情这个词表达着行动的动力。真实地看待你的感情，以你喜欢的方式运用你的头脑和感情，而不是与自己作对。"

"啊哟！"迈克叫了起来。

"别对我的话担心，它会让你受用一生的。好好观察你的感情，别急于行动。大多数人不懂得是他们的感情代替了他们的思想，感情是感情，你还必须学会独立思考。"

"你能给我们举一个例子吗？"我问。

"可以。当一个人说'我得去找份工作'，这就很可能是感情代替了思考。害怕没钱的感觉便产生了找工作的念头。"

"但是如果人们要付账的话他们是需要钱的呀。"我说。

"的确如此。所以，我说感情常常过多地代替了思考。"

"不懂。"迈克说。

"比如说吧，如果人们害怕没有钱花，就立刻去找工作，然后挣到了钱，使恐惧感消除。这样做似乎很对。可一旦这样理解，他就不会去思考这样一个问题，一份工作能长期解决你的经济问题吗？依我看，答案是'不能'，尤其从人的一生来看更是如此。工作只是试图用暂时的办法来解决长期的问题。"

"但我爸总是说'去上学，取得好成绩，这样你就能找到稳定的工作'，"我有些迷惑地说。

"是啊，我懂他的意思。大多数人都这么给人建议，而且对于大多数人来说这也确实是个好主意。但人们作出这种建议基本上仍是出于恐惧。"

"你是说我爸这么说是因为害怕？"

"是的，他担心你将来挣不到钱并且不适应这个社会。别误解了我的话，他爱你而且希望你好，而且他的担心也不无道理。教育和工作是很重要的，可它们对付不了恐惧。实际上，他恐惧，所以每天去上班挣钱；为你担心，所以热衷于让你去上学。"

"那你说该怎么办？"我问。

"我想教你们学会支配钱，而不是害怕它，这在学校里是学不到的。如果你不学，你就会变成钱的奴隶。"

显而易见，他想使我们扩展视野，这一切，马丁太太看不见，他的雇员们看不见，我爸爸也看不见。富爸爸用了听起来很无情的例子，但这些例子我始终不会忘记。我的视野在那天被打开了，开始注意到大多数人所面临着的"陷阱"。

"你看，我们最终都是雇员，只不过处于不同层次而已。我只希望孩子们有机会避开由恐惧和欲望组成的陷阱，能按你喜爱的方式运用恐惧和欲望，别让恐惧和欲望控制你。这就是我想教你们的。我对教你们如何挣大把的钱没有兴趣，那解决不了问题。如果你们不先控制恐惧和欲望，即使你们有钱，也只不过是高薪的奴隶而已。"

"那我们该怎样避开陷阱？"

"造成贫穷和财务问题的主要原因是恐惧和无知，而非经济环境、政府或富人。自身的恐惧和无知使人们难以自拔，所以你们应该去上学并且接受大学教育，而我教你们怎样不落入陷阱。"

谜底渐渐显露出来。我爸爸受过高等教育，有着很好的职业，但学校从不告诉他如何处理金钱或恐惧。我可以从两个爸爸那里学习不同的但同样都是很重要的事情。

"你谈到对缺钱的担心，那么对钱的欲望会怎样影响到我们的思想呢？"迈克问。

"当我用更高的工资引诱你们时，你们有什么感觉？你感到欲望在膨胀吗？"

我们点点头。

"但你们没有对感觉屈服，你们推迟了决定的作出。这是极为重要的。我们总是有着恐惧或贪婪之心。从现在开始，对你们来说，重要的是运用这些感情为你们的长期利益谋利，别让你们的感情控制了思想。大多数人让他们的恐惧和贪婪之心来支配自己，这是无知的开始。因为害怕或贪婪，大多数人生活在挣工资、加薪、劳动保护之中，而不问这种感情支配思想的生活之路通向哪里。这就像一幅画：驴子在拼命拉车，因为车夫在它鼻子前面放了个胡萝卜。车夫知道该把车驶到哪里，而驴却只是在追逐一个幻觉。但第二天驴依旧会去拉车，因为又有胡萝卜放在了驴子的面前。"

"你的意思是，当时在我脑海中的那些棒球手套、糖果和玩具的影像就像那驴子面前的胡萝卜一样喽？"

"不错。当你长大后，你的玩具会变贵，会变成要给你的朋友留下深刻印象的汽车、汽艇、大房子，"富爸爸笑着说，"恐惧把你推出门外，愿望又召唤你进去，诱惑你去触礁。这就是陷阱。"

"那答案是什么呢？"

"强化恐惧和欲望是无知的表现，这就是为什么很多有钱人常常会担惊受怕。钱就是胡萝卜、是幻像。如果驴能看到整幅图像，它可能会重新想想是否还要去追求胡萝卜。"

富爸爸解释说人生实际上是在无知和幻觉之间的一场斗争。

他说一旦一个人停止寻求知识和信息，就会变得无知。因此，人们需要不停地与自己作斗争：是通过学习打开自己的心扉，还是封闭自己的头脑。

"学校是非常非常重要的地方。在学校，你学习一种技术或一门专业，并成为对社会有益的人。每一种文明都需要教师、医生、工程师、艺术家、厨师、商人、警察、消防队员、士兵等等。学校培养了这些人才，所以我们的社会可以兴旺发达。但不幸的是，对许多人来说，学校是终止而不是开端。"

接下来是长长的沉默。富爸爸依旧微笑着，我还没弄明白那天他说的全部。但我已经意识到富爸爸是个很伟大的老师，他的话在我耳边回响了很多年，直到现在我还在回味其中的道理。

"今天我有点无情，但无情得有理，"富爸爸说，"我希望你们永远记住这次谈话，我希望你们多想想马丁太太，多想想那头驴。永远别忘记，会有两种感情——恐惧和欲望，使你落入一生中最大的陷阱，如果你让它们来控制自己的思想，你的一生就会生活在恐惧中，从不探求你的梦想，这是残酷的。为钱工作，以为钱能买来快乐，这也是残酷的。半夜醒来想着许多的账单要付是一种可怕的生活方式，以工资的高低来安排生活不是真正的生活。这些都很残酷，而我希望你们能避开这些陷阱，如果可能的话，别让这些问题在你们身上发生，别让钱支配你们的生活。"

一个垒球滚到了桌下，富爸爸拾起来扔了回去。

"无知是怎样与恐惧、贪婪相联的？"我问。

"对钱的无知导致了如此之多的恐惧和贪婪的产生。我可以给你一些例子。一个医生，想多挣些钱来更好地养活家人，就提高了收费，这就使每个人的医疗支出增加，这一切最无情地损害了穷人的利益，所以穷人的医疗状况比富人差。由于医生提高收费，则律师也提高收费；由于律师提高收费，学校老师也想增加收入，这就迫使政府提高税收。这样一环套一环，不久，在富人和穷人之间就有了一条可怕的鸿沟，混乱就会爆发。当鸿沟大到了极点时，一个社会就会崩溃。美国同样身在其中，这种历史一再重演，因为人们没有以史为鉴。我们只是记住了历史事件发生的时间和名称，却没有记住教训。"

"价格难道不能上涨吗？"我问。

"在一个教育水平高和政府管理良好的社会中价格不会上涨，实际上应该下降，价格上涨的原因是由无知引起的贪婪和恐惧。如果学校教学生认识钱，社会就有可能会变得更富有而且物价低廉。但学校关注的只是教学生为钱而工作，而不是如何开发和利用钱的力量。"

"但我们不是有商学院吗？"迈克问，"你不是在鼓励我进商学院拿博士学位吗？"

"是的，但这并不够！"富爸爸说，"商学院更擅长的是制造精确而廉价的'计算器'，他们不可能干成大事。他们所做的只是看看数字，解雇人并把生意搞糟，他们所想的只是降低成本提高价格，事实上这会带来更多的问题。计算是重要的，我希望更多的人懂得计算，但计算并不是全部。"

"那该怎么办呢？"迈克问。

"学会让感情跟随你的思想，而不要让思想跟着你的感情。当你俩控制了感情，同意免费干活时，我就知道你们还有希望。当你们在我用更多的钱诱惑你们时，你们抵制住了感情，你们就又一次进行了思考而不是任由感情控制你们。这是第一步。"

"这一步为什么如此重要？"我问。

"噢，这要由你自己来找答案了。如果你想学，我将把你们带上这条布满荆棘的道路，大多数人都会选择避开这条路。我会带你们去大多数人都怕去的地方，跟着我，你们将学会让钱为你们所用的方法，而不仅仅是为钱而工作。"

"我们跟着你会得到什么呢？我们同意跟你学，可我们能学到什么呢？"我问。

"自由。"

"那是一条布满荆棘的路吗？"

"是的，所谓的荆棘就是我们的恐惧和贪婪。走进我们的恐惧，直面我们的贪婪、弱点和缺陷。这条路的出路就是用心去确定你的思想。"

"确定思想？"迈克不解地问。

"是的，确定我们该怎样思考而不只是对情感作出反应。不要用因为害怕没钱付账而起床工作的方法来解决你的问题。你要花时间去想这样的问题，更努力地工作是解决问题的最好方法吗？许多人都害怕对自己说出真相。他们被恐惧所支配，不敢去思考，于是就出门去找工作，因为恐惧在支配着他们。这就是我说的确定你的思想。"

"我们怎样才能做到这点？"迈克问。

"那是我将来要教你们的。我会教你二思而后行，而不是条件反射式地行动，就像匆忙咽下早餐的咖啡后跑出去工作一样。"

"记住我以前所说的：工作只是面对长期问题的一种暂时的解决办法。大多数人心里只有一个问题，并且是短期的，那就是月末要付账了，于是又感到恐惧了。钱控制了他们的生活，或者说对钱的无知或恐惧控制了他们的生活。所以他们就像他们的父母一样生活，早早起来去工作挣钱，而从不抽时间问问，有什么别的法子吗？他们的思想由他们的感情控制着的，而不是他们的头脑。"

"你能说说感情和理智的区别吗？"迈克问。

"噢，当然。我总是听到这种话，'每个人都必须去工作'，或是'富人是骗子'、'我要换份工作'，'我应该得到更高的工资'，'你不能任意摆布我'、'我喜欢这份工作因为它很安定'，而不是说，'我失去了什么东西吗'，这样的话才会避免你感情用事而留给你仔细思考的时间。"

我得承认，这的确是重要的一课，即知道人什么时候是在表达感受而不是表达清楚的思想。这一课令我终生受益，尤其是当我的话也仅仅是出于反应而非出于深思时。

我们走回小店的路上，富爸爸解释说富人的确是在"造钱"，他们不为钱而工作。他接着解释当我和迈克铅铸5分钱的硬币时，我们想着那是在"造钱"，我们的想法和富人的想法实际上是很接近的，问题是我们的做法不合法，只有政府和银行才能合法地做这种事。他解释了挣钱的合法方式与非法方式。

富爸爸继续解释说富人知道钱是虚幻的东西，就像驴子的胡萝卜一样。正是由于恐惧和贪婪使无数的人抱着这个幻觉还以为它是真实的。钱的确是造出来的，正是由于对钱的幻觉以及无知使得人们不敢去"造钱"。"事实上，从许多方面来说，驴的胡萝卜都比钱有价值。"

他说到美国正处于金本位制，每一张美钞实际就是一枚金属货币。他感兴趣的是关于我们会撤消金本位制并且我们的美钞将不再与金属货币对值的传言。

"这种事如果真的发生，孩子们，地狱之门就快开了。穷人、中产阶级和无知的人的生活将被毁掉，因为他们相信钱是真实的财富，而且相信他们为之效力的公司、政府会安排他们的一切。"

我们的确不太明白那天这席话的涵义，但多年以后，他的话在越来越多的地方应验了。

看见了别人看不见的

当他上了停在店外的小卡车时，说："继续工作，孩子们，很快你们就会忘了工资的事，这对你们来说比大人容易做到，继续用你们的脑子思考，无代价地工作，很快你们就会发现挣钱的方法，用这种方法挣来的钱会比我付给你的多许多。你们会看到别人看不见的东西，机会就在你面前。大多数人看不见这种机会因为他们忙着寻找金钱和安定，所以他们得到的也就有限。当你看到一个机会时，你就已经学会了并且会在一生中不断地发现机会。当你找到机会时，我会教你其他的事。学会了这些，你就能避开生活中最大的陷阱，就不会感到恐惧了。"

迈克和我收拾好东西与马丁太太道了别。我们走回公园，又坐回到那张长椅上，花了几个小时思考和讨论。

第二个星期在学校里，我们仍然在思考和讨论这些问题。接下来的两个星期，我们一直这么进行着，同时继续免费工作。

第二个星期六工作结束时，我再次向马丁太太道别了，道别时我的眼睛留在了架子上的小人书上。每周六没了30美分使我没有钱去买小人书了。而就在马丁太太对我和迈克说再见时，她做了一件我以前从未留意过的事。事实上，我以前也见她这样做过，但从未引起我的注意。

马丁太太把小人书的封面撕成两半，她把封面的上半部留下，将剩下的书扔进了棕色的书橱。我问她这是做什么，她说："我要把这些没有卖掉的旧书处理掉。当书商送新书的时候，我会把封面的上半部交给他，作为没有卖掉的证明，他一小时后就到。"

一小时后，书商来了。我问他是否能把那些即将被扔掉的小人书送给我们。他回答说："如果你们是替这家店干活的并且保证不把它们卖掉，我就送给你们。"

于是，我们达成了协议。迈克的妈妈在地下室里有间空房子，我们把它清理出来，把几百本的小人书搬了进去。很快我们的小人书阅览室就对外开放了。我们雇了迈克的妹妹——她很爱读书——来作图书管理员。她向每个来看书的孩子收 10 美分,阅览室从下午 2:30 开到 4:30,每天放学后都开。顾客呢,包括邻家的孩子,他们可以在这两个小时内看个够。10 美分 1 人是相当便宜的,而且两小时内他们可以看五、六本书。

当顾客离开时迈克的妹妹要负责检查,确保他们不把书带出去。她还要保管书,记录每天有多少人来,他们的名字,以及他们的要求。迈克和我在三个月内平均每周可得 9.5 美元。我们每周付给他妹妹 1 美元,而且允许她免费看书,她的确看了不少书,因为她是那么爱读书。

迈克和我仍然每周六去小店干活,从各个店收集不要的小人书。我们对书商恪守了诺言,没有卖一本小人书,当书太破旧了我们就烧掉它。我们试图开一家分支机构,但我们实在找不到一个像迈克的妹妹那样可以信任的管理员。

小小年纪,我们就已发现找个好职员非常困难。

阅览室开张三个月后,发生了一场争斗,附近的小流氓插手进来盯上了这桩生意。迈克的爸爸建议我们关门,所以我们的小人书生意结束了,同时我们也停止了在小店的工作。不管怎样,富爸爸十分兴奋,他有新东西要教我们了。他很高兴,因为我们的第一课学得如此之好。我们已经在学习怎样让钱为我所用了。由于没有从商店的工作中得到报酬,我们不得不发挥我们的想像力去寻找挣钱的机会。从一开始我们自己的小人书阅览室起,我们开始自己赚钱,而不是依赖雇主。尤其是我们的生意给我们带来了钱,甚至于当我们不在那儿时,它也在生钱,我们的钱为我们工作了。

没有付给我们工钱,富爸爸却给了我们更多的东西。

第二课

为什么要教授财务知识

第三章

第二课：为什么要教授财务知识

1990 年，我最好的朋友迈克接管了他爸爸的商业王国，而且做得比他爸爸还好。我们每年在高尔夫球场上见一两次面。他和他夫人的财产多得让你难以想像，富爸爸的王国被管理得很好，而迈克已开始训练他的儿子接替他的位置了，正如当年富爸爸训练我们那样。

1994 年，我 47 岁时退休了，当时我妻子 37 岁。退休并不意味着无事可干。对于我和我妻子来说，除非发生意想不到的大事，否则我们完全可以选择工作也可以选择不工作，并且我们的财富能避开通货膨胀而且在不断地增加着。我想这就是财务上的自由。资产已经多到可以自我增值，就像种下了一棵树，你年复一年地浇灌它，终于有一天它不再需要你的照料，可以自己生长了。它的根已足够深，你现在开始享受它的树荫了。

迈克选择经营他的商业王国而我选择了退休。

当我面对一批又一批的人讲演时，他们总是问我有什么建议给他们，或是应该怎么做。"我该怎样开始？""有什么可以推荐的好书吗？""应该为培养孩子做些什么？""成功的秘诀是什么？""我怎样才能挣到 1 百万美元？"这使我总是回想起那篇我曾写过的文章，其内容如下。

最富有的生意人

1923年，一些最伟大的领导人和最富有的商人在芝加哥"海岸酒店"举行了一次会议。他们中有美国最大的独立钢铁企业的领导人查尔斯·施瓦布；世界最大的公用事业公司主席塞缪尔·英萨尔；最大的煤气公司领导人霍华德·霍普森；国际火柴公司总裁埃娃·克鲁格，国际火柴公司当时是世界上最大的公司之一；国际清算银行总裁利昂·弗雷泽；纽约证交所主席理查德·惠特尼；两个最大的股票投机商阿瑟·科顿和杰斯·利弗莫尔；美国第29任总统哈定内阁的成员阿尔伯特·富尔。25年后，他们中的9人就这样去世了：施瓦布在度过5年借债生涯后身无分文地死去了；英萨尔破产后死于国外；克鲁格和科顿也死于破产；霍普森疯了；惠特尼和阿尔伯特·富尔则差点进了监狱；弗雷泽和利弗莫尔破产自杀了。

我怀疑是否有人说得清在这些人身上究竟发生了什么事。看看时间，1923年，正是1929年市场大崩溃和大萧条的前夜，这场大萧条严重地冲击了这些人和他们的生活。关键的一点是：我们今天生活所处的时代比过去更加不安定，我想在未来25年中会有更多的兴衰起落，这是那些人曾经面对过的。我想太多的人仍然过多地关注钱，而不是他们最大的财富——所受的教育。如果人们灵活一些，保持开放的头脑并不断学习，他们将在这些变化中一天比一天富有。如果认为钱能解决一切问题，恐怕这些人的日子就会不太好过。知识才能解决问题并创造财富，不是凭财务知识挣来的钱很快就会消失。

大多数人没有意识到在生活中，不在于你挣了多少钱而在于你留下了多少钱。我们都听说过，一个穷人中了彩，一下子暴富起来，然而不久就又变穷了，他们虽然得到了1百万美元但很快又回到了起点。还有这样的故事，说一个职业运动员在24岁时就挣了几百万美元，但到了34岁却露宿桥下。今天上午当我写这本书的时候，报纸上就登有这样一则新闻：一个年轻的篮球运动员，一年以前他还拥有几百万美金，可现在，他说他的朋友、律师、会计师拿走了他的钱，他只能在一个洗车站干着最低报酬的活儿。

他只有29岁。因为拒绝在擦车时摘下冠军戒指，他又被洗车站解雇了，所以他的事儿上了报纸。篮球运动员起诉洗车站，诉说艰难的工作和人们的歧视，他还说那枚戒指是他惟一剩下的东西，如果把它拿走，他就会崩溃。

1997年，我知道又有很多正要成为百万富翁的人快要发疯了。已临近世纪的尾声了，我很高兴看到人们越来越富裕，我却仍想提醒一句：从长期来看，重要的不是你挣了多少钱，而是要看你能留下多少钱，以及留住了多久。

所以当人们问我："我该从哪儿开始"或"告诉我怎样才能快速致富"时，他们肯定会对我的回答感到失望。我只是对他们说我的富爸爸在我小的时候曾对我说过的话："如果你想发财，就需要学习财务知识。"

我和富爸爸在一起的日子里，这个思想始终萦绕在我的脑海中。可以说，我那受过高等教育的爸爸已经认识到了读书的重要性，而富爸爸则强调必须掌握财务知识。

如果你要去建立帝国大厦，你要做的第一件事就是挖个深坑，打牢基础。如果你只是想在郊区盖个小屋，你只须用6英寸厚的水泥板就够了。大多数人，当他们努力致富时，总是试图在6英寸厚的水泥板上建造帝国大厦。

我们的学校体系在农业文明时代就建立了，在某些方面至今仍没有什么改善，孩子们从学校毕业时没有学到一点财务基础知识。一天，当人们在债务泥潭的边缘挣扎而无法入睡时，他们便做起美国梦，认定解决他们财务问题的方法就是快点发财。

于是建摩天大楼的工作开始了。虽然进行得很快，可我们没有建成帝国大厦，却建了一座斜塔。不眠之夜又来了。

迈克和我在成年以后，我们可以有多种选择，因为我们小的时候已经打下了坚实的财务知识基础。

现在，会计可能是世界上最乏味的学科了，也可能是最让人弄不明白的学科。但如果你想长期富有，它又可能是最重要的学科。问题是，你怎样才能接受这门乏味而晦涩的学科并把它教给孩子呢？答案是：简化它，首先可用图来教。

富爸爸为迈克和我打下了牢固的财务知识基础。由于当时我们只是孩子，富爸爸就创造了一种简单的方法来教我们。有好几年他只是画图和用一些单词。迈克和我弄懂了那些简单的图、术语、以及用它们诠释的钱的运动规律。在以后的几年中，富爸爸开始加入数字。今天，迈克已经掌握了更为复杂难懂的会计分析，因为他有几十亿美元的公司要经营，他必须掌握这些方法。我不这么复杂是因为我的"王国"要小一些，但我们却源于同一个简单的基础。在下面几页，我会给你一些同样简单的图，就像迈克的爸爸当初为我们发明的那些图一样。这些图虽然简单，却使两个孩子建立了取得巨大财富的牢固基础。

规则 1　你必须明白资产和负债的区别，并且尽可能地购买资产。如果你想致富，这一点你必须知道。这就是第一号规则，也是仅有的一条规则，这听起来似乎太简单了，但人们大多不知道这条规则有多么深奥，大多数人就是因为不清楚资产与负债之间的区别而苦苦挣扎在财务问题里。

"富人获得资产，而穷人和中产阶级获得债务，只不过他们以为那些就是资产。"

当富爸爸向迈克和我解释这些概念时，我们以为他是在哄我们。当时，我们两个不到 10 岁的小孩正等着听到致富的秘诀，而得到的却是这样的回答。这回答是如此简单以致我们不得不长时间地思考它。

"资产是什么？"迈克问。

"现在别管它，"富爸爸说，"先记住我上面说的那段话就行了。如果你能理解那些话，你们的生活会变得有计划而且不会受到财务问题的困扰。正是由于简单，它才常常被人们忽视。"

"你的意思是说我们所需要明白的就是什么是资产，并且得到它们，然后我们就能致富，是吗？"我问。

富爸爸点点头说："就这么简单"。

"既然很简单，那为什么不是每个人都发财呢？"我问。

富爸爸笑了，他说："因为人们实际上并不明白资产和负债的区别。"

我又问："大人怎么会这么笨，如果这个道理很简单，而且很重要，为什么人们不把它弄明白呢？"

富爸爸于是花了几分钟向我们解释什么是资产和负债。

成年后，我发觉向其他的成年人解释什么是资产、什么是负债十分困难。为什么呢？因为成年人要更聪明。大多数情况下，这个简单的思想没有被大多数的成年人掌握，因为他们有着不同的教育背景，他们被其他受过高等教育的专家，比如银行家、会计师、地产商、财务策划人员等等所教导。难点就在于很难要求这些成年人放弃已有的观念，变得像孩子一样简单。高学识的成年人往往觉得研究这么一个简单的概念太没面子了。

富爸爸相信"KISS"原则，即"傻瓜财务原则"（Keep It Simple Stupid）。所以他特意为两个小孩简化了课程，而这又使两个孩子所打的基础更加牢固。

是什么造成了观念的混淆呢？或者说为什么如此简单的道理，却难以掌握呢？为什么有人会买一些其实是负债的资产呢？答案就在于他所受的是什么样的基础教育。

我们通常非常重视"知识"这个词而非"财务知识"。而一般性的知识是不能定义什么是资产、什么是负债的。实际上，如果你真的想被弄昏，就尽管去查查字典中关于"资产"和"负债"的解释吧。我知道那上面的定义对一个受过训练的会计师来说是很清楚的，但对于普通人而言可能毫无意义。可我们成年人却往往太过于自负而不肯承认看不懂其中的含义。

对小孩子，富爸爸说："定义资产的不该用词语而是数字。如果你不能读懂数字，你就不能发掘和辩认出资产。"

"在会计上，"他接着说，"关键不是数字，而是数字要告诉你的东西。数字不是词语，但像词语一样，它能告诉你它想告诉你的事。"

"许多人在阅读，但并不十分理解他们所读到的东西，因此有阅读理解这一说法。而人们在阅读理解方面的需求和能力是不同的。例如，我最近买了个新的录像机，附有一本录像机的使用指南。其实我想做的只是把星期五晚上我喜欢的电视节目录下来，但我读那手册时几乎要发疯了，我甚至认为在我的生活里没有比学习怎样用录像机更复杂的事了。我能读出每个词，但它们连起来后，我就不明白它们在说什么了。在认字上我得了'A'，在理解上却得了'F'，这和大多数人对财务词条的理解情况是一样的。"

"如果你想富有，你必须读懂并理解数字。"这话我从富爸爸那听到一千次了，同样频繁出现的话还有"富人得到资产而穷人和中产阶级得到负债"。

下面是区分资产和负债的方法。大多数会计师和财务专业人员不会同意这种定义法，但是这些简单的画却是两个小孩建立坚实的经济基础的开端。

为了教两个不到10岁的孩子，富爸爸简化了每件事，尽可能地多用图，少用文字，并且很多年一直未加进数字。

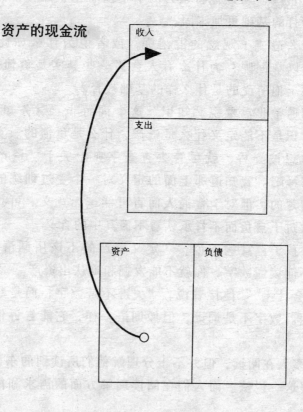

资产的现金流

上图是收入表，常被称为损益表。它常用来衡量收入和支出以及钱进钱出。下图是资产负债表，它被用来说明资产与负债情况。许多初学经济的人都弄不清收入表和资产负债表间的联系，而这种联系对于理解它们却是至关重要的。

很多人长期处于财务困境的根本原因就在于他们从来就不明白资产和负债的区别，而引起误会的原因就是定义它们时所用的词语。如果你想了解怎样叫作含糊不清，只需去字典里查查"资产"和"负债"这两个词。

当然，字典中的定义对于受过训练的会计人员来说是有用的，但对于普通人，这种定义过于专业、严谨，你读出了那些定义里的字却很难理解它们串在一起时的真正含义。

所以正如我前面说过的，富爸爸只是告诉两个小孩下面这句话："资产就是能把钱放进你口袋里的东西。"好极了！这话简单而实用。

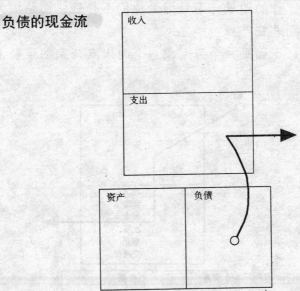

负债的现金流

现在用图来定义资产和负债，它可能更容易说明我用文字所下的定义：

资产就是能把钱放进你口袋里的东西。

负债是把钱从你口袋里取走的东西。

　　这就是你所要知道的全部了。如果你想变富，只须在一生中不断地买入资产就行了；如果你想变穷或成为中产阶级，只须不断地买入负债。正是因为不知道资产与负债两者间的区别，人们常常把负债当作资产买进，导致了世界上绝大部分人要在财务问题中挣扎。

　　看不懂财务方面的文字表述或读不懂数字的含义，是问题发生的根本原因。如果人们陷入财务困难，那就是说有些东西，或是数字或是文字他读不懂，或是有些东西被他误解了。富人之所以富是因为他们比那些挣扎于财务问题的人在某个方面有更多知识，所以如果你想致富并保住你的财富，财务知识是十分重要，包括对文字和数字的理解。

　　图中的箭头方向表明了现金的流动或"现金流量"。数字本身意义不大，正如文字本身意义不大一样，重要的是数字或文字所要表述的东西。在财务报告中，读数字是为了发现情况、了解流向，即钱在向哪儿流。80％的家庭中，财务报表表现的是一幅超前努力工作的图景，不是因为他们不挣钱，而是因为他们购买的是负债而非资产。

　　例如，下面是一个穷人或一个尚未离开家的年轻人的现金流向图：

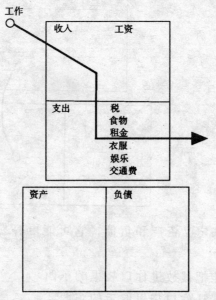

下面是一个中产阶级的现金流向图：

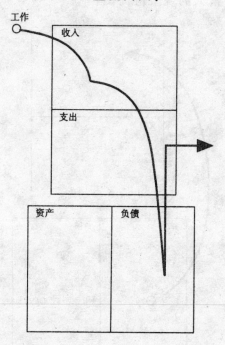

下面是一个富人的现金流向图：

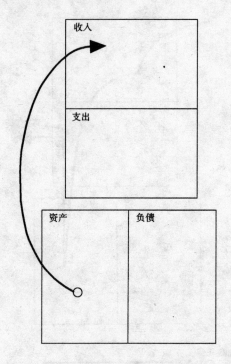

　　所有这些图表都显得过于简化，但每个人都有生活支出如吃、住、穿的费用等等。

　　这些图表显示了穷人、中产阶级、富人一生的现金流。正是现金流说明了问题，即现金流说明了一个人是怎样处理他已经到手的钱的。

　　我之所以从美国有钱人的状况入手是想戳穿一个错误观念：即钱能解决一切问题。因为许多人都这样认为，所以当我听到人们问我"怎样才能快速致富，应当从哪儿开始"时，我常会感到担心。我也常听人说："我欠了债，所以我得挣钱。"

　　但更多的钱往往不能解决问题，实际上它可能使问题变得更加严重。钱常常使我们人性中的弱点显露，钱不能掩盖我们的无知。这就是为什么经常有些人在忽然得到一大笔意外之财，比如遗产、加薪或中彩之后，却又很快失去的原因——甚至有些人会比他得到那些钱之前的财务状况更糟。钱只是使你头脑中的现金流向图的流向更加明显，如果你的现金流向图是把收入都花掉，那么最可能的结果是增加了收入的同时也增加了支出。正所谓："钱愚弄人"。

　　我已说过多次，我们去学校学习以获得学识和专业技能，这是十分重要的，我们需要学会用专业技能谋生。60年代，当我还上高中时，如果有人在学校里学习好，马上就有人认为这个聪明的学生将会成为一名医生，而不去问一问这个学生自己是否愿意当医生。据说，医生这一职业反映了当时最好的职业待遇水平。

　　今天，医生们也同样面临着我们都不希望面对的巨大的财务挑战：保险公司对行业的控制，健康保障条例的约束，政府的干预，名目繁多的诉讼等等。所以现在的孩子们想成为篮球明星、像蒂格·伍兹那样的高尔夫球手、电脑虫、电影明星、摇滚明星、选美皇后或华尔街的交易员，而不愿再去成为医生或其他的什么，因为这些在父母们看来不是职业的"职业"似乎会更出名、更有钱、更显赫。这也是为什么难以鼓励今天的孩子们去学校的原因，他们知道职业上的成功不再完全与学习成绩相关了，尽管两者曾经是那样的相关。

同时，由于学生们没有获得财务技能就离开了学校，成千上万受过教育的人追求到了职业上的成功，却最终发现他们仍在财务问题中挣扎。他们努力工作，但并无进展，他们所受的教育不是如何挣钱，而是如何花钱，这产生了所谓的理财态度——挣了钱后该怎么办？怎样防止别人从你手中拿走钱？你能多长时间拥有这些钱？你如何让钱为你工作？大多数人不明白为什么他们会身处财务困境，因为他们不明白现金流。一个人可能受过高等教育而且事业成功，但也可能是财务上的文盲。这种人往往比需要的更为努力地工作，因为他们知道应该如何努力工作，但却不知道如何让钱为他们工作。

发财梦变成恶梦的故事

下面的动态图显示了努力工作的人们所具有的图式。一对刚结婚、受过高等教育的新婚夫妇住在一套拥挤的租来的公寓里，很快，他们意识到他们在省钱，因为两个人的花销和一个人的差不多。

问题是，公寓太挤了，于是他们决定省钱买一栋自己梦想中的房子，这样他们就能有孩子了。现在，他们有两份收入，并开始专心于事业，他们的收入开始增加，随着收入的增加……

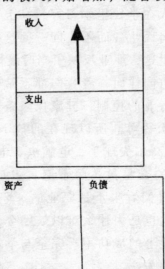

支出也增加了。

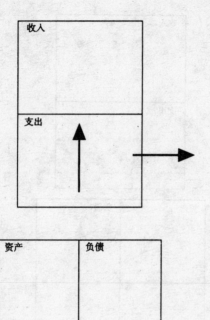

　　对大多数人而言，第一项支出是税。许多人以为是所得税，但对大多数美国人而言，最高的税是社会保障税。作为一名雇员，表面上社会保障税和医疗税共约 7.5％，实际上却是 15％，因为雇主必须为你付 15％ 的社会保障金。关键是，雇主并不会拿自己的钱去为你支付的，实际上他所支付的，都是你所应得到的。此外，你还得为你工资已扣除的社会保障税再交所得税，而这种所得是你从来就未得到过的，因为它们通过预扣直接进入了社会保障体系之中。

接着，他们的债务开始增加。

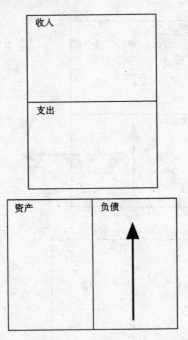

上图是对这对年轻夫妇的最好描述：随着收入的增加，他们决定去买一套自己的房子。一旦有了房子，他们就得缴税——财产税，然后他们买了新车、新家俱等，去和新房子配套。最后，他们突然发觉已身陷抵押贷款和信用卡贷款的债务之中。

他们落入了"老鼠赛跑"的陷阱。不久孩子出生了，他们必须更加努力地工作。这个过程继续循环下去，钱挣得越多，税缴得也越多，他们不得不最大限度地使用信用卡。这时一家贷款公司打电话来，说他们最大的"资产"——房子已经被评估过了，因为他们的信用记录是如此之好，所以公司可提供"账单合并"贷款，即用房屋作抵押而获得的长期贷款，这笔贷款能帮助他们偿付其他信用卡上的高息消费贷款，更妙的是，这种住房抵押贷款的利息将是免税的。他们觉得真是太幸运了，马上同意了贷款公司的建议，并用贷款付清了信用卡。他们感觉松了口气，因为从表面上看，他们的负债额降低了，但实际上不过是把消费贷款转到了住房抵押贷款上。他们把负债分散在30年中去支付了。这真是件聪明事。

过了几天，邻居打电话来约他们去购物，说阵亡将士纪念日商店正在打折，他们对自己说："我们什么也不买，只是去看看。"但一旦发现了想要的东西，他们还是忍不住又用那刚刚付清了的信用卡付了款。

我总是结识这种年轻夫妇，他们名字不同，但窘境却是如此的相同。他们来问我："你能告诉我们怎样挣更多的钱吗？"他们的支出习惯让他们总想寻求更多的钱。

他们甚至不知道他们真正的问题在于他们选择的支出方式，这是他们苦苦挣扎的真正原因。而这种无知就在于没有财务知识以及不理解资产和负债间的区别。

再多的钱也不能解决他们的问题，除了改变他们的财务观念和支出方式以外，再没有什么可以救他们的了。我的一个朋友对那些欠债的人一遍又一遍地说："如果你发现你已在洞里，那就别再挖了。"

当我还是孩子时，爸爸说日本人关注三种力量：剑、宝石和镜子。

剑象征着武器的力量。美国人在武器上已经花了上千亿美元，是世界上的超级军事大国。

宝石象征着金钱的力量。就如一句格言所说："记住黄金规则：有黄金的人制定规则。"

镜子象征着自知的力量。而在日本人看来，自知是三种力量中最宝贵的。

穷人和中产阶级更多地让金钱的力量控制他们。他们起床工作，却不问自己这样做的意义；每天为钱去工作，但并不真正懂得钱。于是大多数人就让钱来控制了他们，与他们对抗。

如果他们有一面镜子，也许会对镜自问："这有意义吗？"可通常是，人们不相信他们自己内在的智慧，而只是随波逐流，人云亦云。他们做一些事是因为其他人这么做，他们总是服从而不去提问。对于"分期付款"、"你的房屋就是你的资产"、"你的房屋是你最大的投资"、"欠债可以抵税"、"找一个稳定的职业"、

"别犯错误"、"别冒险"之类的话，他们一概接受从不质疑。

很多人认为在公众面前说话比死还可怕。按精神病学的说法，害怕在公众面前说话是因为害怕被排斥、害怕冒尖、害怕被批评、害怕出错、害怕被逐出。简言之，是害怕与别人不同，结果阻碍了人们去想新办法来解决问题。

这也就是我那受过教育的爸爸所说的"日本人最重视镜子的力量"的原因，因为只有当他们看镜子时，才能发现真相，即大多数人谈"稳定"的原因是出于恐惧。其他事也一样能借助镜子来看清，如运动、社会关系、职业和金钱等。

正是由于这种恐惧，即害怕被排斥的心理，使人们服从而不去质疑那些被广泛接受的观点或流行的趋势："你的房子是资产"、"用一个贷款来结束其他负债"、"努力工作"、"提升"、"有一天我会成为副总统"、"存钱"、"加薪后我要买更大的房子"、"共同基金是最安全的"等等。

大多数人的财务困境是由于随大溜，简单地跟从其他人所造成的。因此我们都需要不时地照照镜子，去相信我们内在的智慧而不仅只是恐惧。

迈克和我 16 岁时，我们在学校有了麻烦。我们不是坏孩子，只是开始远离人群。我们在周末及平时放学后为迈克的爸爸干活，干完活后，我们会花几个小时坐在一边听他爸爸和银行经理、律师、会计师、经纪人、投资商、经理和员工开会。迈克的爸爸 13 岁就离开了学校，现在却指挥和命令着一群受过良好教育的人。他们对他惟命是从，并且当他对某个问题表示不满时畏惧不已。

富爸爸不是一个随大溜的人，他是一个善于独立思考的人。他憎恶"我们必须这么做，因为其他人都这么做"这类的话，他也憎恶"不能"这个词。如果你想让他做什么，一个有效的方法就是对他说："我想你办不了这件事。"

迈克和我通过参加富爸爸开的各种会议学到了不少的东西，甚至在某些方面比在学校里包括大学里学到的都要多。迈克的爸爸没受过高等学校教育，但他有很多的财务知识并且最终获得了成功。他曾一遍又一遍地对我们说："聪明人总是雇比他更聪明的人。"所以，我和迈克时常有幸花几个小时听那些聪明人说话并向他们学习。

因此，迈克和我很难遵循老师所教的那些传统的教条，这样问题就来了。当老师说"如果你得不到好成绩，在社会上也干不好"时，我和迈克就皱起了眉头。当我们被告知要遵循既定的程序、不要偏离规矩时，我们看到这种学校的程序是如何扼杀创造性的。我们开始明白为什么富爸爸说学校是生产好雇员而不是好雇主的地方。

迈克和我经常问我们的学校老师，我们所学的东西为什么不实用，或是问为什么我们不学习有关钱的知识及其运动规律。对后一个问题，我们得到的回答常常是钱并不重要，如果我们学习优秀，钱自然会来的。

我们对钱的力量知道得越多，与老师和同学的距离就变得越远。

我那受过高等教育的爸爸从不对我的成绩施加压力，这使我时常感到惊讶，但我们为钱的事争论过。我想在16岁时，我就已经有了比爸妈更多的财务基础知识。因为我经常看书，经常听审计师、企业律师、银行家、房地产经纪人、投资人的谈话，而爸爸每天只同老师们谈话。

一天，当爸爸告诉我我们的房子是他最大的投资时，一场不太愉快的争论发生了。当时我对他说我认为一座房子并非是一个好的投资。

下图反映了我的富爸爸和穷爸爸在房子问题上的不同观念，一个认为他的房子是资产，另一个则认为是负债。

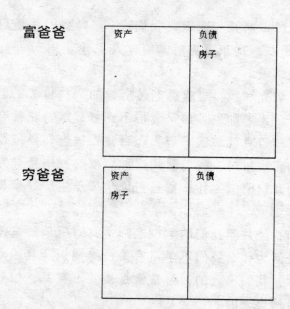

我还记得我画了下面这张图向爸爸说明他的现金流向，我也向他指出了拥有房子后带来的附属支出。房子越大支出就越大，现金会不断地流出。

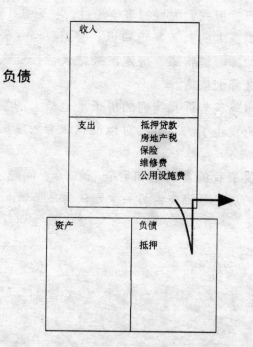

今天，我仍在向房子是资产的观念挑战。我知道对许多人来说，房子是他们的梦想和最大投资，而且有自己的房子总比什么都没有强，但我仍想用另一种思想来替代这一教条。我妻子和我也喜欢大而时髦的房子，但我们知道那不是一项资产，由于它使钱从我们口袋中流出去，所以它是一项负债。

因此我提出这个论点。我并不想让所有人都同意我的观点，因为房子毕竟是人们感情的寄托。此外，对于钱的热衷会降低财务方面的理智，我的个人经历告诉我，钱能使决策变得情绪化。

1. 对于房子，我要指出大多数人一生都在为一所他们并未真正拥有的房子而辛苦地工作。换句话说，大多数人每隔几年就买所新房子，每次都用一份新的30年期的贷款偿还上一笔的贷款。

2. 即使人们从住房抵押贷款的利息中得到了免税的好处，他们还是要先还清各期贷款后，才能以税后收入支付各种开支。

3. 财产税。我妻子的父母每月要为他们的房子交纳高达1000美元的财产税，这是他们退休后要交的一项税款，这种税赋使他们的日子很紧张，他们时常感到要被迫搬离了。

4. 房子的价值并不总是上升。1997年，我的一位朋友有所价值1百万美元的房子，而今天他的这所房子只值70万美元了。

5. 最大的损失是机会损失。如果你所有的钱都被投在了房子上，你就不得不努力工作，因为你的现金正不断地从支出项流出，而不是流入资产项，这是典型的中产阶级现金流模式。正确的做法应该是怎样的呢？如果一对年轻夫妇早点在他们的资产项中多投些钱，以后几年他们就会过得轻松些，尤其是他们准备把孩子送入大学的话。因为资产项中的投资会使他们的资产不断增加，自动弥补支出。而先投资买下一所大房子的做法只不过是取得抵押贷款以支付不断攀升的开支，其结果不过是拆了东墙补西墙。

总之，决定拥有很昂贵的房子，而不是早早地开始证券投资，将对一个人的财务生活在以下三个方面形成冲击：

1. 失去了用其他资产增值的时机。

2. 本可以用来投资的资本将用于支付房子的各种高额、长期开支。

3.失去受教育机会。人们经常把他们的房子、储蓄和退休金计划列入他们的资产项目。因为他们无钱投资，所以也就不去投资，这就使他们无法获得投资经验，并永远不会成为投资界认可的"成熟投资者"。而最好的投资机会往往都是先给那些"成熟投资者"，再由他们转手给那些谨小慎微的人的，当然，在转手时他们已经拿走了绝大部分的利益。

我那受过教育的爸爸的财务状况，最好地说明了过着"老鼠赛跑"式生活的人的经济状况。他们总是量入为出，根本没可能去投资。结果，他们的负债，比如抵押贷款、信用卡贷款总是比他们的资产还多。下面的图示简练地解释了这种情况：

穷爸爸的财务状况

收入
支出

资产	负债

富爸爸的状况反映了进行投资和减少负债的结果。

富爸爸的财务状况

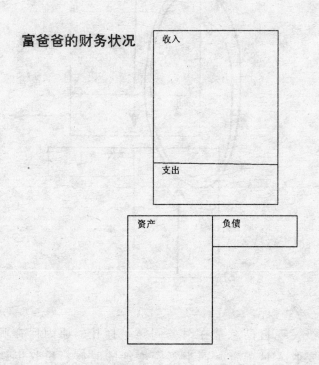

富爸爸的财务报表还说明了为什么富人会越来越富。资产项目产生的收入远可弥补支出，并且可以用剩余收入对资产方进行再投资。随着投资的积累，资产会越来越多，相应地收入也就越来越多，从而形成良性循环。

其结果是：富人越来越富！

为什么富人越来越富

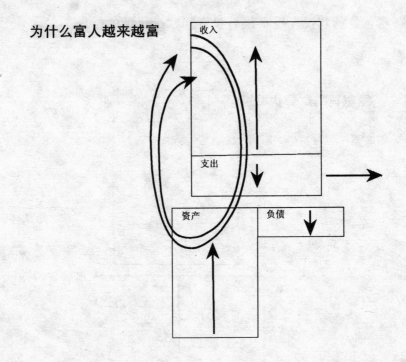

　　中产阶级发现自己总是在财务问题上挣扎，原因何在呢？中产阶级的主要收入是工资，而当工资增加的时候，税收也就增加了，更重要的是他们的支出倾向也随着收入的增加而同等增加。他们把房子作为主要资产反复进行投资，而不是投资于那些能带来收入的真正的资产上。

**为什么中产阶级无法
摆脱财务问题**

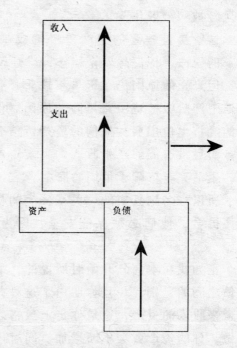

  这种把房子当资产的想法和那种认为钱越多就能买更大的房子或消费得更多的理财哲学就是形成今天债台高筑的社会的基础。过多的支出把家庭拖入到债务和财务不确定性的旋涡之中，这种情形甚至发生在人们工作成绩优秀和收入固定增长的时候，而这种高风险的生活正是由于缺乏财务知识教育所造成的。

  90 年代经济不景气，人们大量失业，就已经表明了中产阶级的财务状况是多么脆弱。公司养老金计划突然被"401K 计划"所替代，社会保障体系明显地陷入困境，不能再成为退休后的生活来源，恐慌在中产阶级中产生。而今天来看这倒是件好事，许多人意识到这个问题并开始购买共同基金，投资增长在很大程度上带动了股市的渐渐复苏，并且越来越多的共同基金被创立以满足中产阶级的投资需要。

  共同基金因其风险小而大受欢迎。一般的基金购买人因为忙着去支付税款和贷款、储蓄孩子上大学的费用、偿还信用卡等，根本无暇去研究如何投资，所以他们依赖于共同基金的管理专家来帮助他们投资。而且，因为共同基金投资多个项目，使他们感到风险被"分散化"了。

这些受过教育的中产阶级赞成基金管理人提出的"风险分散"的说法，他们想安全运作，避开风险。

但真正的原因仍在于早年缺乏必要的财务知识教育，这也是普通中产阶级被迫回避风险的原因。他们必须安全操作，因为他们的经济地位虚弱：他们的资产负债表从未平衡过，承担着大量债务而且没有能够产生收入的真实资产。他们的收入来源只是工资，生活完全依赖于他们的雇主。

所以当名副其实的"关系一生的机会"来临时，这些人无法抓住机会，他们必须保证安全，因为他们负担着高额的税和债务。

正如我在本部分开始时所说的，最重要的规则是弄清资产与负债之间的差别，一旦你明白了这种差别，你就会尽力去只买入能带来收入的资产，这是你走上致富之路的最好办法。不断地这样做，你的资产就会不断增加。同时还要注意降低你的负债和支出，这会让你有更多的钱投入资产项。很快，钱会多到可以让你进行一些投机性的投资了，这些投资能产生从100%到无限的回报，5000美元的投资很快就能翻到1百万或更多。这种中产阶级称为"太冒险"的投资实际上并无风险，只是因为你缺乏某些很重要的财务知识而不知道究竟该怎样去看待这些投资机会。只要你拥有足够的财务知识，你就不必害怕去"冒险"。

如果你和大多数人一样，你就是下图所展示的情况：

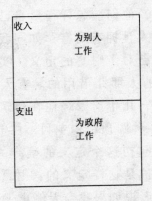

作为一个自己有房子的雇员，你努力工作的结果如下：

1. 你为别人工作。如大多数人为工资而工作一样，你的努力使雇主或股东致富，你的工作和成功将使雇主成功并且可以提早退休。

2. 你为政府工作。政府在你还未看见工资时就已拿走了一部分，努力工作只是使政府的税收增加。大多数人都在为政府工作。

3. 你为银行工作。缴税后，你的下一笔最大支出该是偿还抵押贷款和信用卡贷款了。

问题是如果你只懂得工作努力，上面三方从你那儿拿走的劳动成果也就会越多。你需要学会怎样才能使你的努力更多地、更直接地为你和你的家人带来益处。

一旦你决定把精力集中于创建自己的事业，你该怎样确立目标呢？对大多数人而言，他们的目标是保住他们的职业并依赖工资取得他们想要的资产。

随着资产的增加，他们应怎样衡量自己的成功呢？何时他们才能意识到他们是富人且拥有财富？如同我有自己的资产和负债定义一样，我也有自己对于财富的定义。实际上这是我从一个名叫巴克敏斯特·菲莱的人那儿借用的。有人把他叫作骗子，而另一些人则称他为天才，几年前围绕他在建筑业有不少的流言。他在1961年曾申请了一种圆顶结构专利，在申请中，菲莱讲了一些关于"财富"的话。起初这个定义的确令人迷惑，但是读过后，你就开始有感觉了。他是这样定义的：财富就是支持一个人生存多长时间的能力，或者说如果我今天停止工作，我还能活多久？

不像净资产被定义为资产和负债间的差额那样，尽管这种定义常常充斥于人们关于支出的废话以及关于某物值多少钱的观点中。财富的这一定义为发展一种新的真实准确的衡量方法创造了可能性，现在我能衡量并且的确知道我经济独立的目标已实现到哪一步了。

净资产通常包括那些非现金资产，就像你买回后堆在车库里的材料。财富则衡量你的钱正在挣多少钱，以及你的财务生存能力。

财富是将资产项下产生的现金流与支出项下流出的现金流进行比较而定的。

让我们来看个例子。比如说我的资产每月可产生1000美元，可我每月却要支出2000美元，那我还有什么财富可言呢？

让我们回到巴克敏斯特·菲莱的定义，用他的定义，我还能活几天呢？假定一个月30天，按这个定义，我只能活半个月。

当我每月从资产项可得2000美元时，那我就有财富了。

当然我并不富有，可我有财富了。现在每个月我从资产项得到的现金流与支出等量。如果我想增加支出，我首先必须增加资产项产生的现金流来维持我的财富水平。注意，这时我不再依赖工资，如果我辞职了，我每月还能用资产项产生的现金流维持支出，也就是说我仍能够生存。

我的下个目标是从资产中得到多余现金再进行投资。流入资产项的钱越多，资产就增加得越快；资产增加得越快，现金流入得就越多。只要我把支出控制在资产所能够产生的现金流之下，我就会变富，就会有越来越多除我自身劳动力收入之外的其他收入来源。

随着这种再投资过程的不断延续，我最终走上了致富之路。

请记住下面这些话：

富人买入资产；
穷人只有支出；
中产阶级买他们以为是资产的负债。

那么我该怎样开始我的事业呢？请听麦当劳的创立者怎么说。

第三课

关注自己的事业

第四章
第三课：关注自己的事业

1974 年，麦当劳的创始人雷·克罗克，被邀请去奥斯汀为得克萨斯州立大学的工商管理硕士班作讲演，我的一个好朋友基思·坎宁安正是这个班上的一名学生。在一场激动人心的讲演之后，学生们问雷是否愿意去他们常去的地方一起喝杯啤酒，雷高兴地接受了邀请。

当这群人都拿到啤酒之后，雷问："谁能告诉我我是做什么的？""当时每个人都笑了，"基思说："大多数 MBA 学生都认为雷是在开玩笑。"见没人回答他的问题，于是雷又问："你们认为我能做什么呢？"学生们又一次笑了，最后一个大胆的学生叫道："雷，所有人都知道你是做汉堡包的。"

雷哈哈地笑了："我料到你们会这么说。"他停止笑声并很快地说："女士们、先生们，其实我不做汉堡包业务，我的真正生意是房地产。"

基思说雷花了很长时间来解释他的话。雷的远期商业计划中，基本业务将是出售麦当劳的各个分店给各个合伙人，他一向很重视每个分店的地理位置，因为他知道房产和位置将是每个分店获得成功的最重要的因素，而同时，当雷实施他的计划时，那些买下分店的人也将付钱从麦当劳集团手中买下分店的地。

麦当劳今天已是世界上最大的房地产商了，它拥有的房地产甚至超过了天主教会。今天，麦当劳已经拥有美国以及世界其他地方的一些最值钱的街角和十字路口的黄金地段。

基思说那是他一生中最重要的一课。今天，基思拥有了洗车场，但他最重要的业务却是经营洗车场的地产。

前一课，我们用图说明了大多数人为除了他自己以外的其他人工作，首先是为公司老板工作，其次是为政府工作，最后是为偿还贷款而给银行工作。

小时候，我家附近可没有麦当劳。然而，我的富爸爸却向迈克和我传授了如同雷·克罗克向得克萨斯州立大学的 MBA 学生们所教授的课程一样的知识，这就是致富的第三号秘诀。

第三号秘诀是："关注自己的事业。"存在财务问题的人经常是一生为别人工作的人，许多人在他们停止工作时就变得一无所有。

一幅图胜过了千言万语。下面是一张利润表和一张资产负债表，它们能最好地描述雷·克罗克的思想。

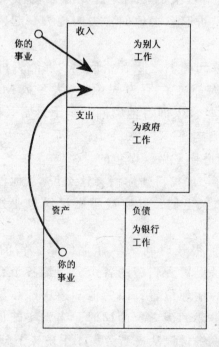

我们当前的教育体系能够使今天的年轻人学好一门技能并且得到一份好工作，他们的生活将围绕工资或如前所说的收入项目

进行。当学完一定技能后，他们将去更高级别的学校培养职业能力，他们会被培养成为工程师、科学家、厨师、警官、艺术家、作家等等，这些职业技能使他们能加入劳动大军并为钱而工作。

请注意，你的工作和你的事业之间存在着巨大的区别。我经常问一些人："你的事业是什么？"他们会说："我是个银行职员。"接着我问他是否拥有银行，他们常回答："不是的，我在那儿工作。"

在这个例子中，他们混淆了自己的职业和事业，他们可以是银行家，但他们仍应有自己的事业。雷·克罗克对他的职业和事业之间的区别很清楚，他的职业总是不变的：是个商人。他卖过牛奶搅拌器，以后又转为卖汉堡包，而他的事业则是积累能产生收入的地产。

学校的问题是经常把你变成你所学专业的人员。如果你学的是烹调，你就会成为一名厨师；如果你学的是法律，你会当上律师；如果你学的是自动化，你会当上机械师。变成你所学专业的人员的可怕后果在于太多的人因此而忘了去关注自己的事业，他们耗费一生去关注别人的事业并使他人致富。

为了财务安全，人们需要关注自己的事业。你的事业围绕着的是你的资产，而不是你的收入。正如以前说过的，第一号规则是要知道资产负债之间的区别，并且去买入资产。富人关心的焦点是他们的资产而其他人关心的则是他们的收入。

这就是我们为什么总是听人说："我需要加薪"、"我要是能得到升职该多好"、"我要回学校去再学习以便得到收入更高的工作"、"我要去加班"、"也许我能干两份工作"、"两周内我将辞职因为我找到了一份工资更高的工作"等等。

在某些方面，这些都是明智的想法。但如果你听了雷·克罗克的话，你就会发现你仍未关注你自己的事业，这些想法依然是围绕着工资收入转。只有你把增加的收入用于购买可产生收入的资产时，你才能获得真正的财务安全。

大多数穷人或中产阶级财务保守的基本原因在于："我不能承担风险"，这意味着他们的财务知识匮乏，他们必须依附于工作，他们必须安全运作。

当经济衰退不可避免地来临时，上百万的工人发现他们的所谓最大的资产——房子，正要活活地吃掉他们！因为房子每个月都要花钱。汽车——他们的另一项"资产"，也在吞噬他们的生活。花1000美元买来的高尔夫球棒，被扔在车库里，现在已不值1000美元了。没有了职业保障，他们就失去了生活依靠。他们所认为的资产不能帮他们度过财务危机。

我猜想我们中的大部分人都填过信贷申请表给银行，以获得贷款购买房子或汽车。看看所谓的"净资产"是十分有趣的，之所以有趣是因为我们的银行会计实务允许人们把房子和汽车计为资产。

一天，为了获得一笔贷款，由于我的财务状况看似不佳，于是我买了新的高尔夫球棒，买了艺术收藏品、音响、电话、阿曼尼西装、手表、鞋和其他个人用品以增加资产方的数目。

最后我的贷款申请还是被拒绝了，原因是我在房地产方面的投资太多。信贷委员会不喜欢我从房地产投资中获取收入，他们只想知道为什么我没有一份能挣到薪水的正式工作。他们也不问阿曼尼西装、高尔夫球棒或艺术收藏品是哪里来的。当你不符"标准"时，生活将是严峻的。

每次当我听到某人说他的净资产是1百万或10万美元或其他数字时都有点害怕。一个主要的原因是净资产价值不是一个准确的东西，不仅如此，当你开始出售资产时，你甚至还得为因此带来的收入缴税。

所以许多收入不足的人更容易陷入财务困境。为增加现金，他们不得不出售资产。首先，他们个人资产的卖价只是他们在资产负债表上列支数字的一小部分；其次如果有收益，他们还要交税，也就是说每卖一次，政府就会从他们的收益中拿走一份，从而减少了可用来帮助他们摆脱债务的现金。这就是我为什么说某人实际上的净资产要比他们自己认为的少得多的原因了。

关注你自己的事业并继续你每天的工作。你可以买些房地产，而不是负债或买一些一旦被你带回家使用就没有了价值的个人用品。一旦你把一辆新车开出停车处，你已损失了25%的车钱。汽车不是真正的资产，即使你的银行经理让你把它列在资产项下。当我用过一次价值400美元的新的高尔夫球杆时，它就只值150美元了。

对成年人而言，把支出维持在低水平，减少借款和勤劳地工作会帮你打下一个稳固的资产基础。对还未有自己房子的年轻人来说，父母应教他们明白资产和负债之间的区别，让他们在离家、结婚、买房、有孩子、在高风险的金融交易中下注或依附于工作和贷款买任何东西之前建立起坚实的资产基础，这是非常重要的。我见过许多年轻夫妇，由于他们并不能分清资产和负债，结婚后不久就陷入了以后大部分年月内都无法摆脱债务的生活方式中。

对大多数人而言，当最小的孩子离开家时，父母才意识到他们还没有为退休作好足够的准备。接着，他们自己的父母又病了，他们发现自己又背上了新的负担。

那么，你或你的孩子们应该获得什么样的资产呢？依我看，真正的资产可以分为下列几类：

1. 不需我到场就可以正常运作的业务。我拥有它们，但由别人经营和管理。如果我必须在那儿工作，那它就不是我的事业而是我的职业了；
2. 股票；
3. 债券；
4. 共同基金；
5. 产生收入的房地产；
6. 票据（借据）；
7. 专利权如音乐、手稿、专利；
8. 任何其他有价值、可产生收入或可能增值并且有很好的流通市场的东西。

还是孩子的时候，我受过教育的爸爸鼓励我找份安定的工作，而富爸爸则鼓励我开始获得我所喜爱的资产，"因为如果你不爱它，就不会关心它"。我购入房地产是因为我喜欢建筑物和土地，我喜欢买它们，我可以整天地看着它们，当出现问题时，也不会糟到使我不再喜爱房地产。但对于那些本来就憎恶房地产的人来说，投资房地产显然并不是一个好主意。

我喜欢小公司的股票，尤其是刚成立的公司，原因是我是一个企业家而不是一个雇员。早年，我也曾在一些大机构工作，如加利福尼亚标准石油公司、美国海军陆战队和施乐公司，在这些机构做事给我留下了愉快的记忆。但我深知我不是个公司职员，我喜欢开办公司但不去经营它们，所以我买的股票都是小公司的。有时我甚至自己创办小公司并把它们上市，使财富从新股票的发行中产生。我喜爱这种游戏。许多人害怕小的、没名气的公司，认为它们风险大。小公司的风险是大，但是如果喜爱你所投资的对象，了解它并懂得游戏规则，风险就会减少。对于小公司，我的投资策略是：1年内脱手。另一方面我的房地产投资策略则是从小买卖开始并一点点做大，条件允许的话尽量晚一些出手，这样做的好处是可以推迟缴纳所得税，从而使资产可能戏剧般地增加。我通常持有房地产在7年以上。

多年来，甚至我还在海军陆战队和施乐公司做事的时候，我就开始做富爸爸建议我做的事。我上班，但我也关注自己的事业，我通过买卖小公司的股票和房地产，使我的资产变得非常活跃。富爸爸总是强调财务知识，他说，你对会计和现金管理懂得越多，你就能更好地进行投资分析并开始建立自己的公司。

我并不鼓励那些不想建立自己公司的人也去这么干，我也不希望每个人都去经营公司。不过，有时当人们无法找到工作时，开个公司倒是个解决的办法，但并不一定能获得成功：十家新公司有九家会在5年内倒闭，那些在头五年存活下来的公司又会有十分之九最终倒闭。所以只有当你的确愿意拥有自己的公司时，你再去做我建议的事。否则，继续上班的同时关注自己的事业吧。

当我说关注自己的事业时，我的意思是建立自己强大的资产。想想看，一旦 1 美元落进了你的资产项，它就成了你的雇员。关于钱，最妙的是能让它一天 24 小时地工作并且为你的几代人服务。记住：作个努力工作的雇员，确保你的工作，但要不断构筑你的资产项。

当你的现金流增加时，你可以买点儿奢侈品，一个重要的区别是富人最后才买奢侈品，而穷人和中产阶级会先买下诸如大房子、珠宝、皮衣、宝石、游艇等奢侈品，因为他们想看上去很富有。他们看上去的确很富有，但实际上他们已深陷贷款的陷阱之中。那些总有钱的人，那些能长期富裕的人，是先建立他们的资产，然后才用资产所产生的收入购买奢侈品，穷人和中产阶级则用他们的血汗钱和将留给孩子们的遗产购买奢侈品。

真正的奢侈品是对投资和积累真正资产的奖励。例如，当我和妻子通过买卖房屋获得了额外收入时，她去买了辆奔驰，这不是增加她的工作或冒着风险买下的。然而，当房地产投资升值并最终有足够的现金流入足以购买这辆车之前，她等了 4 年的时间。这奢侈品的确是个奖励，因为它证明了她知道如何增加自己的资产，那辆车对她的意义已不仅是一辆车，而意味着她能用自己的财务知识得到它。

大多数人所做的则是冲动地用贷款去买辆新车或其他奢侈品，他们可能厌烦了，所以期待有点新玩艺儿。用贷款买奢侈品会使人们迟早放弃那东西，因为买奢侈品借的债是个大负担。

在你花时间并投资建立自己的事业之后，你就准备好去接触那神奇的秘密吧——富人的最大秘密。这个秘密铺平了致富之路，路的尽头有对你付出时间和勤奋关注你自己的事业的回报。

第四课

税收的历史和公司的力量

第五章

第四课：税收的历史和公司的力量

我还记得在学校里曾听到的罗宾汉和他的绿林好汉的故事，我的老师认为罗宾汉是一个典型的浪漫英雄、一个劫富济贫的"大侠"。但我的富爸爸却认为罗宾汉不是英雄，他称罗宾汉为窃贼。

罗宾汉已经死了很久了，但他的门徒甚多。我经常会听到这样的话："为什么不让富人来承担"或"富人应缴更多的税让穷人得益。"

而今，罗宾汉劫富济贫的想法却成了穷人和中产阶级最大的隐痛。由于罗宾汉的理想，中产阶级现在承担着沉重的税负。富人实际上并未被征税，是中产阶级尤其是受过教育的高收入中产阶级在为穷人支付税金。

要讲清这个道理，我们需要回顾一下历史——税收的历史。我的受过高等教育的爸爸是历史学方面的专家，而富爸爸则使自己成为了一名受欢迎的税收历史方面的专家。

富爸爸告诉迈克和我，早期的英国和美国是不须纳税的，只有 些为战争而临时征收的税，国王和总统称之为"纳捐"。英国在 1799 年到 1816 年间为了与拿破仑作战而征税，美国则在 1861 年到 1865 年间为了应付内战而征税。

1874 年，英格兰规定纳税是国民的长期义务。1913 年，美国通过了宪法修正案（第 16 条），规定了所得税的征收合法。美国人曾经反对纳税，过重的茶税引发了波士顿港的茶党成立和独立战争的爆发。英国和美国花了几乎50年来培养公众的所得税纳税意识。

这些税最初只是针对富人，这一点富爸爸希望迈克和我明白。他解释说纳税的方法是由大众制定的并经多数人同意，它要让穷人和中产阶级看到税收是为了惩罚有钱人，因此，大众投了赞同票，并将依法纳税写入了宪法。而初衷是惩罚有钱人的税收，在现实中却惩罚了对它投赞同票的中产阶级和穷人。

"一旦政府尝到了钱的滋味，它的胃口就变大了。"富爸爸说："你爸和我在这一点上是对立的。他是政府官员，而我是资本家，我们都得到了报酬，但我们对成功的衡量标准却相反。他的工作是花钱和雇人，他花的钱越多和雇的人越多，他的机构就会越大。在政府中，谁的机构越大，谁就更受尊敬。而在我的组织中，我雇的人越少，花的钱越少，我就越能受到投资者的尊敬。这就是我为何不喜欢政府官员的原因，他们与大多数生意人的目标不同。随着政府规模的扩大，政府需要征收更多的税以维持政府的运营。"

我受过教育的爸爸真诚地相信政府应该帮助人民。他热爱并且崇拜约翰·肯尼迪，尤其推崇肯尼迪的和平队计划。他是如此推崇这个计划以至于他和妈妈都在和平队工作，培训去马来西亚、泰国和菲律宾的志愿者。他总在寻求拨款和增加预算以便能雇更多的人为他所在的教育部和和平队工作。

从我10岁起，我就从富爸爸那儿听说政府人员是偷懒的窃贼，而穷爸爸却说富人是贪婪的强盗，富人应该交更多的税。我相信双方都有其正确的地方，然而，为镇上最大的资本家工作和生活在作为杰出政府官员的爸爸家，这两件事绞在一起显然变得越来越难以协调了。

然而，当你研究税收历史时，一个有趣的现象产生了。如前所述，税之所以被接受是因为大众相信罗宾汉的经济理论，即劫富济贫。问题是政府的社会保障体系及各项开支越来越大，以致于中产阶级也要被征税，且税收水平不断攀升。

　　另一方面，富人则看到了机会，他们不按同一套规则来运作。正如我所说的，他们非常了解公司的魔力，而公司在商品经济时代正变得日益普遍。富人创办了公司来限定其资产的风险，就像用一条船去航行，富人把钱投入到公司这条"船"去航行，公司则雇一批职员（船员）把船驶向"新世界"去寻宝。一旦船沉了，船员会丧生，但富人损失的仅限于他投资的金钱。下图显示出公司与个人的收入表和资产负债表无关。

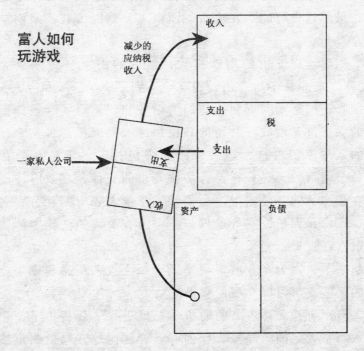

　　有关企业的法律知识给予了富人超出穷人和中产阶级的极大优势。由于有两个爸爸在教我，一个是政府官员，另一个是企业家，我很快便认识到企业家的哲学对我积聚财富更有意义。看起来大多数人是在惩罚他们自己，由于他们缺少财务知识，无论"劫富"的呼声多高，富人总有办法从中脱身，这就是为何税最终总是落到了中产阶级头上的原因。富人胜过那些聪明的受过教育的人，只因为他们明白钱的力量，这是学校不曾教过的科目。

　　有钱人是怎样胜过某些有专业知识的人的呢？一旦"劫富"的税法被通过，钱便开始流入政府。起初人们很高兴，可钱却被政府分配给了雇员和富人。税金通过工作和养老金的形式发放给了政府雇员，通过政府采购的形式付给了富人。政府成了一个巨大的钱库，但问题是还有预算管理，这不是一个自动循环重复的系统。换句话说，政府的政策是，如果你是一个政府官员，就应避免拥有过多的钱；如果你没有用完预算资金，在下次预算中你就有被削减掉这些钱的风险，你不会因为有节余而被认为有效率并得到奖励；为避免被削减预算资金，政府雇员会大量花钱和雇人，虽然这很可能是在浪费。而商人，则因为有节余而被认为有效率。

随着政府支出的不断扩大，对钱的需求也越来越大，于是"劫富"的想法不再适用，税赋也落到了中产阶级和穷人头上。

真正的资本家则利用他们的财务知识逃脱了。他们借助于公司的保护逃避税收。公司的确保护富人，但是许多从未建立过公司的人却不明白这个道理，因为公司并不一定是一个真正的实体，公司可以只是一些符合法律要求的文件，在政府注册后就被放在了律师的办公室里。公司并不意味着要有刻着公司名称的大楼、厂房和雇员，它可以只是一个没有灵魂的法律实体，但富人的财富在这里得到保护。一旦所得税法被通过，成立公司就会流行起来了，因为企业所得税率低于个人收入所得税率。此外，公司的某些支出可以在税前获得抵减。

有产者和无产者之间的争斗已经进行了几百年了，它是劫富的人与富人之间的斗争。任何时候、任何地方只要制定法律，就会发生这种斗争。斗争还会持续下去，吃亏的人一定是无知者，即那些每天起来勤奋工作并不假思索地付税的人。但是如果他们明白了富人玩的游戏，他们也会来玩，这样他们就可以实现经济自立。每次当我听到父母劝说孩子去学校以便找个安定的工作时，我就会感到忧虑，因为一个有着稳定工作的雇员，若没有财务头脑，仍无法躲开财务上的陷阱。

今天的美国人每年要为政府工作5~6个月，他们得挣出足够的税钱。在我看来，这真是太长了。他们工作得越努力，付给政府的就越多，这也使我更加确信"劫富"想法的人到头来是对付了他们自己。

　　每当人们想惩罚富人时，富人不仅不会接受反而要进行反击，他们有钱、有能力、有愿望去改变处境。他们决不会坐视不管，付出高税，他们会想办法把税赋降至最低。他们雇佣聪明的律师和会计师，他们说服政客们改变法律或是钻法律的漏洞，他们有能力扭转乾坤。美国的税法允许人们采用合理的方法避税，任何人均可运用这些方法，但也只有富人才常常使用这些方法，因为他们关心自己的事业。例如，《国内收入法》第 1013 款，就允许销售者对"为购买更贵的房地产而卖出现有房地产时"所获得的资本利得推迟纳税。按照该规定房地产成了具有税收优惠的投资工具，只要你不断进行上述价值交换，你就无须纳税，直到你将房地产变现。不利用这些合法避税手段的人会失去很多增加他们资产项的机会。

　　穷人和中产阶级的能力不同，所以他们只能坐在那儿上他们该上的税。现实情况令我深深震惊：竟有如此多的人在支付高税的同时却很少想到要使用合理合法的避税手段。我有些开公司的朋友，他们发现要面对各式各样的税种，深感恐惧，于是放弃了各自的事业。尽管我知道这些，但也只好一年到头从 1 月到 5 月中旬都在为政府打工，这价码太高了。穷爸爸对此从不反抗，富爸爸也不反抗——但他做得更聪明，他利用公司——富人的最大秘密，来达到他的目的。

　　你可能还记得我从富爸爸那里学到的第一课，那时我只是一个 9 岁的孩子，必须乖乖地坐着等他决定什么时候与我谈话，我坐在他的办公室里等他叫我，可他却故意忽视我。他想让我认识到他的力量并希望有一天我自己也能具有这种力量。跟他学习的这么多年，他总在提醒我知识就是力量，而且钱越多，需要的知识也就越多，没有知识，世界会牵着你走。富爸爸经常提醒我和迈克，最大的敌人不是老板或监工，而是税赋，税赋总想从你那里拿走更多，如果你允许的话。

　　让钱为我工作而不是我为钱工作，这是真正的力量。如果你为钱工作，你就把力量给了雇主；如果钱为你工作，你就能控制这种力量。

当我们掌握了让钱为我们工作的道理，富爸爸就希望我们精于计算而不让钱牵着我们走，此外，我们还需要了解法律。如果你对法律一无所知，你将很容易做错事；如果你了解法律，你就可以充分利用法律赋予你的权实现自己的事业。这也是富爸爸为什么要高薪雇来聪明的税务师和律师的原因了——给他们的钱要比付给政府的少得多。"精于计算你就不会被别人牵着转"是他给我上的最好的一课，我几乎一生都在受用。富爸爸了解法律，因为他要做一个守法的公民，还因为他知道不懂法律的代价是多么的昂贵。"如果你知道你是对的，就不会害怕受到攻击"，哪怕你面对的是"罗宾汉"和他的"绿林好汉"们。

我受过高等教育的爸爸总是鼓励我去一家大公司找个好工作。他的价值观是："顺着公司的梯子，一步步往上爬"。他不知道，仅仅依赖雇主的工资，就永远只能是一头乖乖待挤的奶牛。

当我对富爸爸讲了我爸爸的建议时，他笑了，"为什么不当梯子的主人？"这就是他全部的话。

作为一个小孩子，我不明白富爸爸所说的拥有自己公司的含义，这似乎是一个吓人的、遥不可及的念头。虽然我为这话激动，可我的年纪不允许我去幻想这种可能，即：大人们有一天会为我的公司工作。

事实上，如果不是富爸爸，我就准备接受我爸爸的建议了。正是富爸爸不时地提醒，使我拥有自己公司的念头从来未曾消失，并使我走上了另一条道路。当我十五六岁时，虽然当时我不知道我将怎么做，但我知道我将不会继续走我爸爸建议的那条路了，也就是我的大多数同学要走的路，这个决定改变了我的一生。

我20多岁时，才开始真正实施富爸爸的建议。我当时刚离开海军陆战队去了施乐公司，我挣了许多钱，但每次当我看着工资单时，我都感到失望，扣除额是如此之大，而且我越是努力工作，扣的就越多。当我更为成功时，我的老板们谈到了升职和加薪，此时，我仿佛听到富爸爸在问我"你为谁工作？你使谁富了?"

　　1974 年，当时我仍是施乐的雇员，我建立了我的第一个企业并且开始"关注自己的事业"。我的资产项中的资产并不多，但我决心使它增加，这些年来挣着被扣减的工资使我完全明白了富爸爸的建议。如果我继续听从我爸爸的建议，我已经可以看到我的将来。

　　许多雇主感到建议雇员关注他们自己的事业对其本职工作不利。对某些人来说，可以肯定的确如此，但对我而言，关注我自己的事业，增加资产，却使我成为一名更好的雇员。我现在有了目标，我得起早贪黑勤奋工作，好攒钱开始房地产投资。夏威夷正在开发，大有发财机会。当我意识到我们刚开始繁荣后，我决定进行房地产投资。为了积累资产基础，我卖出的施乐的机器更多了。因为我卖的越多，挣的钱也就越多，当然，我挣的越多，扣的也就越多，这可不是件振奋人心的事，但我可以通过努力工作跳出作为一名雇员的陷阱。到 1978 年，我的销售业绩总是列在公司前五名，并常是第一名，尽管我一再受到公司的嘉奖，但我仍想跳出这场"老鼠赛跑"。

　　在不到三年的时间中，我在自己的小房地产公司里挣到的钱比在施乐挣到的更多。而且我在自己的企业中挣到的钱，是完全为我所用的，这不像我去敲门推销施乐机器时所挣的钱，富爸爸的话越来越有用了。不久我用我公司的收入买了我的第一辆保时捷，施乐的同事认为我是用工资买的，可事实上，我正在不断地把工资投资于资产项，而用资产项为我生产出来的钱购买我想要的东西。

　　我的钱为我挣回更多的钱，在我的资产中，每一块钱都是一名雇员，它们努力工作并带回更多的雇员，而且还能用税前收入为我购买新的保时捷。我仍在继续努力为施乐工作，但同时，我的计划也在按步就班地进行着，保时捷就是证明。

　　通过运用富爸爸教我的那些课程，我能够在早期就走出"老鼠赛跑"咒语，而成功的原因就归功于我从那些课程中所学到的财务知识。若没有这些被我称为财商（财务智商，Financial I.

Q.）的知识——我的经济自立之路将会困难得多。我现在在研讨班上把这些知识教给其他人，我希望别人能和我一起分享这些知识。无论何时我谈到这些知识，我都提醒人们：财商是由四个方面的专门知识所构成的：

第一是会计，也就是我说的财务知识。如果你想建立一个自己的帝国的话，财务知识是非常重要的技能。你管理的钱越多，就越需要精确，否则这大厦就会倒下来。这是左脑要处理的，或者说是细节。财务知识能帮助你读懂财务报表，借助这种能力你还能够辨别业务的优势和弱势。

第二是投资，我称为钱生钱的科学。投资涉及到策略和方案，这是右脑要做的事，或者说是创造。

第三是了解市场，它是供给与需求的科学。这要求了解受感情驱动的市场的"技术面"。1996 年圣诞节的 Tickle Me Elmo 玩具娃娃大获成功就是一个受技术与情感影响的市场的最佳佐证。市场的另一个因素是"基本面"，或者说是一项投资的经济意义。一项投资究竟有无意义最终取决于当前的市场状况。

许多人认为投资和了解市场对于孩子来说太复杂了，他们不知道孩子们凭直觉就能弄懂它们。当父母们还不熟悉 Elmo 玩具娃娃时，圣诞节前街上的变化就已经给孩子们带来了消息，大部分孩子都想要一个 Elmo 娃娃，而且把它列在圣诞节礼单的头一项，于是需求巨大而供给不足的恐慌发生了。商店里没有 Elmo 娃娃卖，投机者从绝望的父母那儿看到了发笔大财的机会，因为这些未买到玩具的父母将不得不为孩子们改买另一样玩具。于是 Tickle Me Elmo 娃娃以难以置信的火爆迅速造就了一个市场神话。虽然这一切与我无关，但它却可作为供求关系的一个很好的例子。同样的事也同样发生在股票、债券、房地产和棒球卡市场上。

第四是法律。它可以帮助你有效运营一个进入会计、投资和市场领域的企业并实现爆炸性地增长。了解税收优惠政策和公司法律的人能比雇员和小业主更快致富。这就像一个人在走，而另一个人却在飞，若从长远看这种差距就更大了。

1. 税收优惠。公司可以做许多个人无法做的事，像税前的费用开支。这是一个如此令人激动的专业领域，但在你没有足够的资产或业务之前不必进入。

雇员挣钱、纳税，并靠剩下来的东西为生；一个企业挣钱，花掉它的钱，而只对剩下来的东西缴税。这是富人钻的最大的法律的空子，如果你有能带来现金流入的投资，公司便可轻松、廉价地运营。例如，若拥有自己的公司，夏威夷的董事会就是你的假期，买车以及随之而来的车的保险和修理费也特是企业支出，健身俱乐部会员费会是企业支出，大部分的餐费更是企业的支出，而且它们都在税前被合法支付。

2. 在诉讼中获得保护。我们生活在一个爱打官司的社会中。富人用公司和信托来隐藏部分财富，当一些人起诉富人时，他们经常遇到法律对富人的保护，并发现这富人其实一无所有。奇怪吗？他们控制着一切，但一无所有。穷人和中产阶级尽力去拥有一切，但最后却不得不支付给政府和那些乐于起诉有钱人的小市民们，这些小市民们也从罗宾汉的故事中学到了劫富济贫。

本书的目的并不是具体教你如何拥有一个公司。但我仍要说，你拥有的任何一种合法资产，我都可以考虑找出以企业形式拥有同等资产时所能享受到的更多的好处和保护。有很多书写过这个题目，会详细到告诉你建立一个企业的必要步骤和能享受的优惠。有一本书叫《股份有限公司和致富》，就对私营公司的能量方面提供了很好的视点。

财商实际上是技巧和才能的结合。但我仍说它由以上所列的四项技能综合组成。如果你想致富，上述的组合将大大增加你个人的财务能力。

小结:

拥有公司的富人	为公司工作的人
1. 挣钱	1. 挣钱
2. 支出	2. 缴税
3. 缴税	3. 支出

作为你的综合经济策略的一部分,我强烈建议你拥有一个由你自己的资产组成的公司。

第五课

富人的投资

第六章

第五课：富人的投资

昨天晚上，在写作的间隙，我看了一个电视节目，讲的是一个叫亚历山大·格雷厄姆·贝尔的年轻人的故事。那时候，贝尔刚刚为他的电话机申请了专利，但却发愁无法满足市场对于他新发明的强劲需求。为了得到大公司的支持，贝尔找到了当时的巨无霸——西部联合公司，问他们是否愿意购买他的专利和他的小公司，他的一揽子要价是 10 万美元。西部联合公司的老总嘲笑并拒绝了他，认为这个价格简直是荒谬可笑。后来发生了以下的事情：一个拥有数十亿美元的产业产生了，而且最终成立了美国电报电话公司。

有关贝尔创业经历的节目之后是晚间新闻，其中一条谈到了本地一家公司又一次裁员，公司的工人们愤怒地谴责公司老板的做法。在工厂门口，一位大约 45 岁的下岗经理带着他的妻子和两个孩子，要求门卫允许他进去同老板对话，请老板重新考虑解雇他的决定，因为他刚刚购买了一套房子。镜头记录了他的呼吁，全世界都看见了，这件事自然也引起了我的深思。

我从 1984 年开始教育生涯，这是一种非常有益的经历，甚至是一种奖励。但这也是一个令人不安的职业，因为我曾经教过数千人，从中发现了所有人——包括我自己的一个共同点：我们都拥有巨大的潜能——这一上天赏赐的礼物。然而，问题是我们都或多或少地存在着某种自我怀疑，从而阻碍了自己的前进。阻碍我们前进的障碍很少是由于缺乏技术性信息，更多的是由于缺乏自信。

一旦我们离开学校，我们之中大部分人就会意识到，仅仅有大学文凭或好分数是远远不够的。在校园之外的现实世界里，有许多比好分数更为重要的东西，我常常听到人们将这些东西称之为"魄力"、"勇气"、"毅力"、"大胆"、"气势"、"精明"、"勇敢"、"坚强"、"才华横溢"等等。不管怎么称呼，这都是比学校分数更能从根本上决定人们未来的因素。

在我们每个人的性格当中，既有勇敢、聪明、泼辣的一面，也有畏惧、愚昧和胆怯的一面，这就好像一些非常勇敢顽强的英雄有时也会跪下来乞求上帝的恩赐。作为一名海军特种部队的飞行员，我在越南战场上呆了一年后，发现这两种倾向在我身上同时存在，并不表现为哪种倾向更占优势。

但是，作为一名教师，我意识到过分的畏惧和自我怀疑是浪费我们才能的最大因素。看到学生们明明知道该做什么，却缺乏勇气付诸实践，我就感到十分悲哀。在现实世界里，人们往往是依靠勇气而不是聪明去领先于其他人的。

在我的个人体验中，培养财务智慧既需要有专业知识，又需要有足够的勇气。如果畏难情绪太大，往往会压抑才能的发挥。在我的班上，我极力劝说学生们学着去冒险，去勇敢地发挥才能，把畏难情绪转化成动力和智慧。我的建议使许多人受到触动，并且有的人受到良好的影响，但我也明显意识到，对大多数人来说，一旦涉及到金钱的问题，他们总是把安全性放在第一位。我不得不即席答复这样一些问题，诸如：为什么要去冒险？为什么必须不厌其烦地提高自己的财商？为什么必须懂得财务知识？

对此，我回答说，"就是为了获得更多的选择机会。"

更大的变化还未出现。就在我提到年轻的发明家亚力山大·格雷厄姆·贝尔的故事时，世界正产生着更多的像贝尔那样的人。每年全世界会产生100个像比尔·盖茨那样的人，也会创立出更多的像微软一样成功的公司，当然，全世界每年也会有更多的公司破产并发生解雇和裁员。

那么，一个人为什么非要提高自己的财商呢？除了自己，没有人能回答这个问题。不过，我可以告诉你为什么我自己要这样做。原因很简单，做这些工作是我生命当中最快乐的事情，我更欢迎变化而不是抱怨变化，我更喜欢能挣到数百万元的钱而不是去担心能不能获得提升。当今我们所处的时代是历史上未曾有过的最激动人心的时代，当后人回顾今天这段历史时，他们一定会感叹这是一个多么充满机遇的时代。旧的东西消亡了，新的东西产生了，到处都在发生翻天覆地的变化，这的确让人兴奋不已。

那么究竟为什么要努力提高自己的财商呢？因为这样做了，你就会获得更大的成功；而不这样做，对你来说，这个时代就会成为一个令人恐慌的时代。你会发现一些人勇敢地走在了前面，而另一些人却陷入生活的恶性循环并难以自拔。

三百年前，土地是一种财富，因此，谁拥有土地，谁就拥有财富。后来，美国依靠工厂和工业产品上升为世界头号强国，工业家占有了财富。今天，信息便是财富。问题是，信息以光的速度在全世界迅速传播，新的财富形式不再像土地和工厂那样具有明确的范围和界限。变化会越来越快，越来越显著，百万富翁的数目会极大地增加，同样，也会有许多人被远远地抛在后面。

今天，我发现许多人在苦苦工作、苦苦挣扎，其原因就是因为他们依然固执于陈旧的观念。他们希望事情都能原封不动，他们抵制任何变化。那些失去了工作或房子的人总在抱怨技术进步，或是埋怨经济状况不佳以及他们的老板，却没有意识到，问题的症结在于他们本身。陈旧的思想是他们最大的包袱，也可以说是最大的债务。为什么呢？原因很简单：他们没有意识到已有的某种思想或方法在昨天还是一种资产，但今天却已经变成了负债。

一天下午，我正在讲授投资问题，并以"现金流"游戏作为教学工具。我的朋友带了一位女士一道来听我的课。这位女士最近离婚了，在离婚问题的处置上她遭受到了沉重的打击，正想寻找某种答案。我的朋友认为听听我的课也许对她会有所帮助。

"现金流"游戏设计的目的，是为了帮助人们了解金钱是如何运动的。在玩游戏的过程中，人们可以了解收入表和资产负债表之间的互动关系，并弄懂如何在这两张表之间记录"现金流量"以及通过增加资产科目上的月现金流量，使你的月现金流量超过每月支出金额，进而达到财富增长，最终你就能从"老鼠赛跑"中挣脱出来，上升到"快车道"上。

我曾经说过，一些人讨厌这个游戏，也有许多人喜欢这个游戏，还有一些人对这个游戏不太在意。这位女士就失去了一个学点财务知识的极好机会。在第一轮中，她得到了一张"零星支出"卡，开始她感到很高兴，"噢，我得到了一只游艇!"接着，当我的朋友试着向她解释如何在收入表和资产负债表上做数字记录时，她非常沮丧，因为她从不喜欢与数字打交道。桌上的其他玩家在一边等着她，而我的朋友则不停地向她解释收入表、资产负债表和月现金流量之间的关系。终于，她弄明白了数字记录的奥妙，并且意识到她的小艇实际上消耗了她的资金，影响了她的资产的流动性。后来在游戏中，她在"下岗"格停过，还添了一个孩子，不用说，这个游戏对她来说简直是糟糕透了。

课后，我的朋友过来告诉我，说这位女士不太开心。她来听课原本是为了学习投资知识，并不喜欢花这么长的时间来玩一个愚蠢的游戏。

我的朋友试图建议她反省一下自身，也许这个游戏在某些方面正好反映了她的情况。这个建议起了负作用，这位女士要回了自己的"钱"。她说，认为这样一种游戏会反映她的情况的想法，简直是荒谬绝伦。她的"钱"立即归还给了她，然后她就走了。

自1984年以来，我仅仅是通过做学校正规教育系统所没做的事情，就赚了数百万美元。在学校，大部分老师都喜欢不停地讲解，我在当学生的时候就不喜欢这种授课方法，因为我很快就会厌倦走神。

从1984年，我开始使用游戏和模板来进行教学。我常常鼓励我的成人学生从游戏中看出哪些反映了他们所知道的情况，哪些是他们还需要学习的东西。最重要的是，要让游戏能反映一个人的行为方式，因为它是一个实时反馈系统。这个游戏不需要老师不停地讲解，它就像是一场个人间的交互式对话，时时刻刻都在与你本人进行沟通。

后来我的朋友打电话告诉我有关那位女士的最新情况。她说，她的朋友——那位中途离开的女士现在很好，已经平静下来。当那位女士冷静下来时，她开始发现那个游戏与她的生活之间的确存在着某种微妙的关系。

虽然她和她丈夫并不曾拥有一只游艇，可他们确实拥有其他所有他们期望得到的东西。对于离婚她感到愤怒，这既是因为她丈夫另有新欢离她而去，也是因为结婚20年来，他们几乎没有积存下什么资产，他们居然没有什么可供分割的财产。他们20年的婚姻生活确实充满了乐趣，但是所有的积累却是一大堆不值钱的东西。

她意识到对于数字的愤怒情绪来源于自己不懂得收入表和资产负债表中这些数字的含义。她认为财务是男人的事情，所以她只负责操持家务，而让丈夫掌管财权。现在她才意识到，在他们婚姻生活的最后5年里，他一定瞒着她藏了不少钱。她后悔自己没有多留意钱都用到哪儿去了，也没有去注意其他妇女是怎么做的。

就像玩这种纸板游戏一样，现实世界也总是给我们以实时反馈。我们关注得越多，能够学到的也就越多。这就好像不久前的一天，我对太太抱怨说，洗衣店一定是把我的裤子洗缩水了。太太却微笑着拍着我的肚子说："你没有注意到吗？不是裤子缩小了，而是别的东西变大了——你的肚子。"

"现金流"游戏的设计能给每位玩家以不同的反馈，它的目的是给予你不同的选择机会。如果你抽到买游艇的卡片且因此而负债，问题就产生了："现在你可以做什么？你可以采取多少种不同的财务选择？"这就是游戏的目的——教会玩家去思考和创造新的、各不相同的财务选择。

我曾经看过1000多人玩这套游戏，在游戏中，那些能从"老鼠赛跑"中最快胜出的人，都是对数学很精通而且具有创造性财务思维的人，他们懂得不同的财务选择的不同意义。在"老鼠赛跑"中花费时间最长的人往往是那些对数学不精通，且常常不懂得投资威力的人。富人更富有创造性，愿意经过精心筹划后再去冒险。

也有许多人在"现金流"游戏中挣到许多"钱"，却不懂得如何去利用钱。他们中的大部分人在现实生活中的个人财务也不太成功，即使他们有"钱"，但其他人似乎都超过了他们。

限制自己的选择机会同固执于陈旧思维方式相类似。我有一个高中时代的朋友，现在拥有三份工作。20 年前，他曾是我的同班同学中最富有的一个，然而后来当地的甘蔗园倒闭了，他所在的制糖公司也随之关张。在他看来，他只有惟一的一种选择——一种陈旧的选择：努力工作。问题在于他无法再找到一份能像原来那家公司那样承认他的价值的新工作。结果，他过高估计了现有的工作，并且他的薪水也降低了。如今，他不得不同时从事三份工作，以挣到足够的钱来维持原有生活水平。

我常听到玩"现金流"游戏的一些玩家抱怨"好机会"总是不来光顾他们，于是，他们就坐在那里边发着牢骚边守株待兔。我知道他们在现实生活中也会这么做：等待着"好机会"的到来。

我也曾见过有的人得到了"机会"卡却依然没能挣到足够的钱。于是，他们就慨叹要是有足够的钱，就能够在"老鼠赛跑"中取胜，所以他们也在那里坐等。我知道在现实生活中他们也会做同样的事情：眼看着有许多大生意可做，手头上却没有钱。

我还见过有人抽到一张"机会"卡，大声读出来后却懵然不知那是一个好机会。他们手上有钱，时机正好，又拥有机会卡，但他们却看不到机会之光已经照在自己头上，他们不懂得应该如何调整自己的财务计划并抓住这个机会，从"老鼠赛跑"中胜出。我还发现，大部分人只存在上述某一种问题，只有很少的人才同时存在几个问题。其实，大部分人一生当中至少会有一个机会在他们面前散发光芒，只是由于自身的问题使他们面对机会却视而不见。一年之后，当他们猛然意识到那个机会的价值时，但一切为时已晚。

财务知识丰富仅仅是意味着拥有更多的选择机会而已。如果机会并不按你的设想降临，那么你还能做点什么来改善自己的财务状况呢？如果机会降临到你头上，但你却没有钱，而银行也不来帮你，那你该做些什么来利用这一机会受益呢？如果你的预感是错误的，你所预计的事情并没有发生，你又如何将一小笔钱变成数百万美元？换句话说，当你要求的没有出现时，你能想出多少种财务方法来把一小笔钱变成数百万美元呢？这就应该依靠你的财务智慧，要看你在解决财务问题上有怎样的开创能力了。

可大部分人却只知道一种方法：努力工作、储蓄或者借贷。

那么，为什么你想提高自己的理财能力呢？因为你想成为那种能够为自己创造机遇的人。你希望能坦然地接受发生的任何事情，并努力使事情变得更好。很少有人知道机遇和金钱是可以创造的。但是，如果你想更幸运，挣到更多的钱，而不只是辛苦工作，那么你的理财能力就非常关键。如果你是那种等待"好事情"发生的人，那么，你就可能要等非常长的时间。这就好比在动身旅行之前非要等待前面 5 英里长的路上所有的红绿灯都变成绿色一样。

小时候，富爸爸经常教导我和迈克：金钱不是真实的资产。从我们第一次用牙膏皮"造钱"起，富爸爸就常启发我们去了解金钱的秘密。"穷人和中产阶级为金钱而工作，"他说，"富人则创造金钱。当然不是像你们那样'造'钱。你把金钱看得越重要，你就会为金钱工作得越辛苦。如果你能够懂得'金钱不是真实的资产'这一道理，你就会更快地富起来。"

"那金钱是什么？"我和迈克反问道，"既然金钱不是真实的资产。"

"它是我们大家都认可的东西。"富爸爸回答说。

我们惟一的、最重要的资产是我们的头脑。如果受到良好训练，转瞬间它就能创造大量财富，并使财富从此不再只是三百年前国王和王后们的专属。而一个未经训练的头脑通过教给自己的家庭不正确的生活方式，将会延续给后代极度贫困的生活。

在信息时代，金钱越来越变得让人不可思议，一些人仅凭思想和所谓的合约就能从一无所有而一夜暴富。但如果你询问那些以从事股票买卖或投资活动为生的人，这是怎么回事，他们会把这视为稀松平常。因为他们中常有人从一无所有瞬间变成百万富翁，并且这一切只是通过买卖合约而不是进行实际的金钱交易来进行的。它们通常只是交易所的一个手势，或是从里斯本移到多伦多的交易商面前的荧光屏上的一个光点，抑或是向自己的经纪人下达的买入以及片刻之后卖出的一个指令，完全都是通过合约来进行的。

那么，为什么要开发我们的理财天赋呢？仍然只有你自己才能回答这个问题。但我同样可以告诉你为什么我去发展自己这方面的能力，因为我想快速挣钱。不是我必须做，而是我想要做，这是一个令人着迷的学习过程。我开发自己的财商是因为我想要参加这世界上最快、最大的游戏。从我自己的观点来看，我愿意成为这场史无前例的人性革命洪流的一部分，并投入到这个人们仅靠脑力而不是依靠体力来工作的时代。除此之外，这也是一场行动，一件正在发生的事情，这是在紧紧追赶时代潮流，这是一个惊险故事，当然，这更是一件非常有趣的事情。

这就是我为什么要提高财务能力，开发我所拥有的最强有力的资产的原因。我想和勇者为伴，不希望与后进的人为伍。

我要告诉你创造金钱的一个简单例子。90 年代初，凤凰城的经济一团糟。我在家看电视节目《早安，美国》时，有位财务筹划专家出现在电视上并预测经济状况，他的建议是储蓄。他说，每月拿出 100 美元存起来，40 年后你就会成为百万富翁。

不错，每月拿出一笔钱存起来听上去确实是一个好的主意。这是一种选择，一种大多数人都愿意做的选择。问题就是：它会蒙蔽人们的双眼，使人们看不到事实发展的真相，他们会因此错过更多更好的使资金增加的机会。于是，机会就此与他们失之交臂了。

我刚才说过，那时候经济很不景气，而对于投资者来说，这却是一个绝好的市场良机。我有一大笔钱投资于股票和房地产，手头缺少现金。这是因为每个人都在卖出，而我却在买入。我不是在储蓄金钱，而是在投资。我太太和我有一百多万美元的现金投在了将要迅速上升的市场上，我们相信这是最好的投资机会。

原先价值 10 万美元的房屋现在只值 7.5 万。但我没有去找本地房地产公司买进这些房地产，而是去找破产事务律师办公室，或者通过法院开始洽谈业务。在这些地方，一幢 7.5 万美元的房屋有时可以按 2 万美元或更低的价格买下。首先，我以现金支票的形式支付给律师 2000 元定金，这是我向朋友借的，为期 90 天、利息 200 元。当购买程序刚一启动，我就在报纸上刊登售房广告，以 6 万美元、首期付款为零的条件，卖出这幢价值 7.5 万美元的房屋。我的电话铃很快就响个不停，我对有希望成交的买主一一进行了调查筛选。然后，当房屋在法律上归我所有后，所有有望成交的买主都被允许去实地察看这幢房屋。交易非常火爆，房子在几分钟之内就售出了。我要求得到 2500 美元的手续费，买主很高兴地支付了。这笔钱我用于支付提供了中介服务的公司、偿还我的朋友 2000 美元和额外的 200 美元利息。在这笔交易中，我的朋友高兴、房屋的买主高兴、律师高兴，而我，当然更高兴。我支付 2 万美元的成本买入一幢房子，又以 6 万美元的价格卖出去，净赚的 4 万美元以买主开出的承兑汇票的形式流入我的资产项目。所有的工作时间累计起来只有 5 个小时。

如果现在你粗通财务并能阅读数字，我可以以上述交易为例，向你展示金钱是如何创造的。

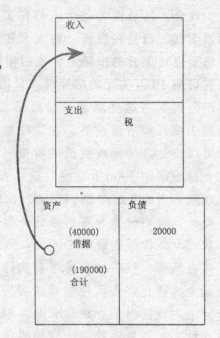

在资产栏中创造的
4万美元无须征税。
按10%的利息计算，
你的现金流每年可
增加4000美元。

在这个萧条的市场中，我和太太利用闲暇时间做成了六笔这样的简单交易。当我们的大量资金由于被投入到增值性的财产和股票市场而无法动用时，我们通过这六次买入、撮合和卖出交易，赚取了19万美元。由于这笔资产的票面利率为10%，这样我们每年有了大约1.9万美元的收入，并且这笔收入又被我自己的公司"隐瞒"下来，因为每年这1.9万元的大部分被用于支付我们公司的车辆费、汽油费、差旅费、保险费、招待费用及其他费用。当政府对这笔收入征税时，这些支出可以作为合法的税前费用被扣除。

储蓄—————

储蓄4万美元需要
多长时间？
完成50%需要征税
多少？

　　这是运用财务智慧、使用金钱、创造金钱以及保全金钱的一个简单例子。

　　请问：你花多长时间才能攒到 19 万美元？银行会支付给你 10% 的利息吗？货币会保持 30 年不贬值吗？我觉得银行储蓄是不可能给我积攒到 19 万美元的，而且即使他们最终能支付这笔存款本金，我还得因此交税。此外，在 30 年里每年被付 1.9 万美元，从收入上来讲要远远高于 50 万美元，这对银行来说更是不可能的。

　　有人问过我，如果那位买主不能支付，那怎么办？这种事情不会发生，若如此，倒是个好消息。因为凤凰城的房地产市场在 1994 年到 1997 年间是全美最火爆的市场之一。那幢 6 万美元的房屋，再买回后可以以 7 万美元的价格重新卖出，此外，还可按贷款手续费的名义再收入 2500 美元。对于新买主仍然可以提供首期零支付的优惠，这一过程还可以被继续下去。

因此,如果你反应敏捷的话,你会看到,当我第一次卖出房屋时,我归还了2000美元。从技术上讲,我在交易中没有投入任何资金,可我的投资回报是无穷大。这就是无钱变有钱的一个很好的例子。

在第二笔交易中,当房子重新卖出时,我可以将2000美元装入自己的腰包,并将贷款再延期至30年。如果我把赚到的钱用来再去赚钱,那么投资回报率又将是多少?我不知道,但我确信一定能超过每月存款100美元的收益率。每月存款100美元实际上是要存150美元才能达到预期收益,因为这40年来,你存入的钱已被课以5%的所得税,而且到期时你将再次按5%税率支付税款。这样做至少可以说不是太明智,也许这样很安全,却并不够精明。

1997年,我在开始写这本书的时候,市场走势几乎和五年前完全相反,凤凰城的房地产令全美国嫉妒。我们当年以6万美元价格卖出的房屋如今已经上涨到11万美元。这时,虽然依然可以找到一些破产财产,但我要花费价值可观的资本和时间去寻找这样的机会。这种机会变得很稀缺了。成千上万的买主在寻找这样的机会,但仅仅只有少数人获得有意义的成功。市场已经发生了变化,现在是转而寻找其他增加资产项目的时候了。

"在这里你不能那样做。"

"这是违反法律的。"

"你在撒谎。"

我听到的这些评论远比我听到的诸如"你能不能告诉我怎么去做"多得多。

你所需要的数学知识其实很简单,并不需要用几何或微积分。有关交易的过程我不想写很多,原因是那些提供中介服务的公司会负责处理合法交易并提供相关服务。我也不必去做诸如屋顶加固、修整卫生间的工作,房屋所有者自会去做这些工作,因为这是他们自己的房子。偶尔也有人不能支付,不过这是非常罕见的,因为在这种情况下,他们必须支付延期付款费,或者他们不得不搬出来,将房屋重新卖掉。法院系统会处理这些事务。

　　当然，你所在的地区可能这些服务不尽完善，市场状况也会有所不同。然而，我只是想通过这个例子说明，仅用很少的资金、冒很小的风险，通过一个简单的财务运作过程就能创造出成百上千万美元的财富。这一例子也说明了金钱仅仅是一纸协议而已，任何高中文化程度的人都能做到这一点。

　　然而，大部分人却没有做到，这是因为大部分人都信奉"辛苦工作，努力存钱"的教条。

　　花大约30个小时的时间工作，资产项下就增加了19万美元，而且不用支付1分钱的税款。

　　哪个问题对你来说更困难一些呢？

1. 辛苦工作，付50％的税，省下钱去储蓄。你的存款利率为5％，而且利息还要再征税。
2. 花些时间来提高你的财商，增强你的动脑能力，从而增加你的资产。

　　如果你选择第一种办法去储蓄19万美元，还得计算你所花费的时间，而时间正是你最重要的资产。

　　现在你会明白，为什么每当我听见父母们说"我的孩子在学校受到良好教育，学习很棒"时，我总是会默默地摇摇头，这种教育也许的确是很好，但是这真的足够吗？

　　我前面所说的只是小型投资战略，只是用来说明如何把小钱变成大钱。另外，我的成功经历也反映了拥有坚实的财务知识基础是多么重要，而打好坚实的财务知识的基础是从接受扎实的财务教育开始的。值得不厌其烦地再重复一遍的是，财商是由这四项主要技能组成的：

1. 财务知识。即阅读理解数字的能力。
2. 投资战略。即钱生钱的科学。
3. 市场、供给与需求。贝尔提供市场所需要的东西，比尔·

盖茨也是如此。用 2000 美元买的一套价值 7.5 万美元的房子，以 6 万美元的价格卖出，这就是抓住了市场所创造的机会的结果。市场上，总是有买方，也有卖方。

4. 法律规章。要关心有关会计、公司方面的法律以及州和全国的法律及规定。我们必须按规则来进行"游戏"。

不管是通过购买小型房屋还是大型公寓、公司、股票、债券、共同基金、珠宝、棒球卡，或是类似的其他的东西来成功地获取财富，都必须具备上述基础，或者说必须同时掌握上述技能。

1996 年，房地产市场开始复苏，人们纷纷涌入这一市场，股票市场也开始繁荣起来，整个美国经济开始复苏。我在 1996 年开始售出房产，现在则已将投资目标转移到了秘鲁、挪威、马来西亚和菲律宾。投资对象发生了变化，在市场买盘开始启动时，我们已经准备着退出房地产市场。现在我密切关注着房产在资产基础上的价值攀升，并有可能在今年晚些时候出售一些房产，这要取决于国会有可能通过的一些法律修正案。我预备出售那 6 套小型房产，然后把 4 万美元的票据转换成现金。我需要告诉我的会计保管好现金并寻求新的保值途径。

下面我要讨论的问题是有关资金的投入和收回、市场的景气和萧条、经济的增长和衰退等问题。在人的一生中，几乎每一天你都会遇到许许多多的机会，可是我们常常对此视而不见，但是机会确实存在，世界变化越大，技术进步越快，提供给你和你的家庭以至几代人财务安全的机会也就越多。

那么，为什么不耐心地提高你的财商呢？我不断地学习和提高的原因是因为我知道市场会有景气和萧条的交替，我意识到变化正在来临，我更欢迎变化而不是沉溺于过去。我之所以想不断地提高自己的财商，是因为每当市场发生变化时，一些人会乞求一份工作，与此同时，另一些人会抓住生活给予他们的机会——我们每个人都会偶尔获得的机会，然后将机会转变成数以百万计的美元。这就是财商。

常常有人问起那些让我赚取百万美元的机会。从个人的角度来讲，对于是否使用更多的我个人的投资经历作为例子，我有些踌躇，因为我担心这样做显得有些自吹自擂。自夸并非我的本意，我使用这些例子只是为了从数字上或时间上说明一些简单的实际的事例，而且，使用这些例子也是希望大家知道这一切真的很容易。你越熟悉财商的四大特征，你就会越觉得容易。就我而言，我主要使用两种工具来实现资金的增值：房地产和小型公司股票。房地产是基础，通过每月买进卖出，我的财产不断地提供现金流入，偶尔也会有价值上的飙升。再有就是等待小型公司股票的快速增值。

我并不建议别人去做我做的事情，例子仅仅只是例子。如果投资机会太复杂而我不能弄明白，我就不会去投资。简单的数学计算和一般常识是做好财务所需要的一切。

下面是我用例证的五个原因：

1. 激励人们学习更多的知识；
2. 万丈高楼平地起，希望告诫人们打好基础；
3. 告诉人们每个人都能取得巨大的财富；
4. 告诉人们条条大路通罗马。
5. 告诉人们财务知识并不是深奥的科学。

1989 年，我常常慢跑穿过俄勒冈州波特兰附近一片美丽可爱的地区，那里有一些宛如小姜面包式的房子。这些房子很小巧别致，令我不禁想起小红帽蹦蹦跳跳地走在去外婆家的路上的情景。

路边到处都是"房屋待售"的招牌，木材市场十分萧条，股票市场几近崩溃，经济状况很不景气。在一条街上我注意到有块破旧的待售招牌比其他任何招牌悬挂的时间都要长，一天慢跑路过那里，我便跑进去见房子主人，他看起来正处于困境之中。

"你想以多少价钱卖掉房子？"我问到。

房子主人转过身来苦笑着说："给我报个价，"他说，"房子待售已经一年多了，甚直没有人愿意进来看一看。"

"我来看看。"我说。半小时之后，我就以低于他的要价2万美元的价格买下了这幢房子。

这是一幢小巧玲珑的两居套房，所有窗户上都装饰着姜汁面包式的须边，房子呈淡蓝色带灰点，建于1930年，房子内部有一个漂亮的岩石壁炉，还带有两间小卧室，把它用作出租是再好不过的了。

这所房子的买价为4.5万美元，而它实际上值6.5万美元，尽管当时没人想要买下它。我付给房屋所有者5000美元的首期付款，一周后，房屋主人高高兴兴地搬走了，他庆幸自己终于摆脱了那幢房子。我的第一位房客，一位当地的大学教授，住了进去。每月他交给我租金，我拿去还完抵押贷款、支付完费用和管理费后，我口袋里的月现金流量还能增加略少于40美元的数额，这似乎并不怎么激动人心。

一年后，萧条的俄勒冈房地产市场开始复苏。来自加利福尼亚的投资者，携带着大笔资金从他们那依然繁荣的房地产市场上转向北方，大批购买俄勒冈和华盛顿州的地产。

我以9.5万美元的价格将那套小房子卖给了一对来自加利福尼亚的年轻夫妇，而他们也认为自己捡到了大便宜。我希望把获得的大约4万美元的资本利得采用1031递延税款的方式进行交易，于是我寻找地方把资金投资出去。过了一个月左右，我在俄勒冈找到了一套有12个房间的公寓，这套公寓正好位于比佛顿的英特尔工厂的旁边。公寓主人住在德国，对于这片地产的价值没有任何概念，只想尽快脱手。我给这套价值45万美元的房屋报价27.5万美元，最后以30万美元成交。我买下了它并持有了两年，后来我们要搬到凤凰城，因此我以49.5万美元的价格卖出了它。接着，我在亚利桑那州凤凰城买下了一幢30个房间的公寓楼。就像以前的俄勒冈市场一样，当时凤凰城的房地产市场一片低迷。凤凰城这幢有30个房间的公寓楼价格为87.5万美元，首期付款22.5万美元。这幢30房间公寓出租后带来的月现金流量略高于5000美元。到1996年，亚利桑那州的房地产市场开始启动，一位科罗拉多的投资者为我们的这处房产出价120万美元。

　　我和太太考虑过出售的事情，但我们决定等一等，看看国会是否会修改有关资本利得的法律。如果确实修改的话，我们预期这处财产的价格还会上升15％至20％，而在持有期间，每月它还能提供5000美元的现金流入。

　　这个例子的要点在于说明一小笔钱是如何变为一大笔钱的。当然，这还要靠对财务报表、投资策略以及市场和法律的了解。如果一个人在这些方面不甚精通，那么很明显，他们必然会遵循标准的教条，即安全地、分散地投资并只投向比较保险的项目。问题在于"保险"的投资常常过于安全，太安全则会导致低收益。

　　大多数大型房屋经纪公司不涉足投机交易，以保护自身及他们的客户，这是一个明智的政策。

　　真正炙手可热的交易不会提供给那些新手。一般来说，那些能使富者愈富的最好的交易总是为那些精通游戏规则的人准备的。从技术上来讲，一个被认为是不够"老练"的人进行投机交易是不合规则的，当然这种事情也曾经发生过。

　　我越"老练"，就会得到越多的机会。开发财商的另一个方法，就是提供给自己更多的机会。你的财商越高，你就越容易分清一项交易是好还是坏。依靠你的智慧，你可以避免不利的交易，或者将一项不利的交易变成有利的交易。我发现，我学的东西越多——确实有许多东西值得去学——我挣的钱也就越多，这仅仅是因为随着时光的流逝我积累了更多的经验和智慧。我有许多朋友，他们安全地投资，在自己的岗位上辛勤地工作，却未能开发出自己的财务天赋，而这种天赋的确需要时间来开发。

　　我的全部哲学就是把"种子"播在我的资产项下，这是我的公式。我从小额开始播种，有些长成了，有些则没有。

　　在我们的房地产公司，我们拥有数百万美元的财产，这是我们自己的房地产信托投资。这里我要指出的是，这几百万美元资产的大部分都是由小到5000至1万美元这样数额的投资开始积累的。所有那些首期付款都幸运地赶上了一个快速上升的市场，并增加税收豁免且在数年的时间里不停地被买进卖出。

我们还拥有股票投资组合，由一家公司进行管理。我和太太将这家公司称为我们个人的共同基金。我的一些朋友专门与像我们这样每月都有多余的钱进行投资的投资者打交道。我们购买高风险、投机性强的私人公司，而这些公司正准备到美国、加拿大的股票市场去上市。有个例子可以说明股票投资的获利速度是多么快。在一家公司上市之前，我们以每股 25 美分的价格购买了 10 万股该公司股票，6 个月后，这家公司上市了，每股价值上升到 2 美元。如果这家公司管理有方的话，价格还会继续上扬到每股 20 美元或更高。好几次我们的 2.5 万美元在不到一年的时间变成了一百万美元。

如果你清楚自己在做什么，那就不是在赌博；如果你把钱投进一笔交易然后只是祈祷，那便是在赌博。在任何情况下，成功的办法就是运用你的技术知识、智慧以及对于游戏的喜爱来减少意外情况的发生并降低风险。当然，风险总是存在的，但财商可以提高你应付意外事件发生的能力。常常有这样的情况，对一个人来说是高风险的事情，对另一个人来说则可能是低风险甚至几乎没有风险。这就是我不断鼓励人们更多地投资于对自己的财务教育而不是股票、房地产或其他市场的原因。你越精明，就越能应付意外情况的发生。

我个人进行的股票投资交易对大多数人来说是一件风险极高的事情，因此我绝不提倡人们仿效。我自 1979 年开始做股票投资以来赚了不少钱，不过，假使你明白为什么这样的投资对大部分人是高风险投资的话，你也许就拥有了在 1 年内将 2.5 万美元变成为 100 万美元的能力，而且实际上，你只承担着低风险。

前面说过，我所写下的一切并不是建议，只是作为简单的、可能的例子。从事情发生的整个过程来看，我所做的只是一小部分。对于一般人来说，依赖市场和个人的智慧，在 5～10 年的时间里，每年获得超过 10 万美元的收入并不困难。如果你能够保持适当的生活支出，10 万美元的额外收入是会很令人高兴的，不管你是否工作。如果你喜欢，或者为了打发时光，你可以选择工作，并利用政府的税收制度来为自己服务而不是让它来损害你的利益。

　　我的事业基础是房地产。我喜欢房地产是因为它很稳定，变化比较缓慢。我把这一基础建立得很牢靠，它提供给我相当稳定的现金流量。如果管理得当的话，它还会有使其价值增值的好机会。持有房地产这样一个坚固的基础，对我来说，其好处就在于使我在某种程度上敢于冒很大的风险去买入具有更大投机性的股票。

　　如果我在股市上挣了一大笔钱，我就会用资本利得的一部分支付资本利得税，然而将余额投资于房地产，以再一次加固我的资产基础。

　　关于房地产还有最后一句话要讲到。我周游过全世界并讲授投资，在每一个城市，我都听到人们说，不要买便宜的房地产，但这并不符合我的经历。

　　这种观念使很多重要的降价交易被大多数人所忽略。在新加坡，尽管眼下房地产价格很高，但仍能在离城市不远的地方发现一些低价交易机会。因此，每当我听到某人说"在这儿你不能干那个"时，我就会提醒他们，也许正确的说法应该是："其实，我不知道在这儿该如何干那个。"

　　好机会是用你的脑子而不是用你的眼睛看到的。大部分人没办法致富仅仅是因为他们没有在财务上受到训练，因而不能认识到机会其实就在他们面前。

　　我也常常被问到："我该如何着手？"

　　在最后一章里，我提供了我在通向财务自由的道路上所遵循的十个步骤。但是还要注意培养对投资的兴趣，感受其中的乐趣，这毕竟只是一场游戏，有时你赢了，有时你要学习，但是一定要有乐趣。大部分人从来不赢是因为他们太害怕失去，这也是我发现的学校教育的一大误区。在学校里，我们被告知错误是坏事，如果我们犯了错误就会受到惩罚。然而，如果你看看人类学习的方法，就会明白人类其实就是在犯错误的过程中进行学习的。我们从跌倒中学会了走路，如果我们从不跌倒，我们就永远也学不会走路。学骑自行车也是同样的道理，尽管我的膝盖上仍有伤疤，但我今天骑自行车时已不费吹灰之力了。富裕起来更是同样的道理，不幸的是，大部分人不富有的主要原因就在于他们太担心失去。胜利者是不怕失去的，但失败者都害怕失去。失败是成功之母，如果避开失败，也就避开了成功。

有时我把投资看作我的网球比赛。我卖力去打，犯了错误，然后纠正，再犯更多的错误，然后再纠正，这样水平就开始提高了。如果我输掉了比赛，我会走向球网，和我的对手握手，笑着对他说："下周六见。"

有两种类型的投资者：

1. 第一种类型也是最普通的一种，即那些进行一揽子投资的人。他们联系一家从事经营个人投资业务的中介机构，例如房地产公司、股票经纪人或财务筹划顾问等，然后买下一些东西。这些东西可能是共同基金、房地产信托投资、股票或债券等。这是一条较好的、清楚简单的投资方式，就好像一位商店老板到电脑商店去购买一台组装好的电脑。

2. 第二种类型就是那种创造投资机会的投资者。这种投资者通常会组织一项交易，如同一个人去买来电脑零部件，然后将其组装成一台电脑。虽然我连用部件组装电脑的第一步工序都不知道，但我却清楚应该如何将一个个机会组织起来，也知道谁正在这样做。

第二种类型的投资者最有可能成为职业投资者，但有时候可能要花许多年才能将一个个机会组织起来，有时它们根本就不可能集合在一起。我的富爸爸鼓励我去做第二种类型的投资者，学会如何将机会组合在一起，有时候会因此获得巨大的成功，但有时候也会因形势逆转而损失惨重。

如果你想成为第二种类型的投资者，那么你需要发展三种主要技能，这三种技能是成为财务能手所必要的更高要求。

1. 如何寻找到其他人都忽视的机会。你要用心去发现别人眼里忽视的那些机会。例如，我的一个朋友买了幢破旧不堪的房子，那房子看起来像座鬼屋，每个认识他的人都很纳闷他为什么要买下它，但我的这个朋友却通过产权公司了解到这间房子有四间额外的空房，于是买下房子后，他把额外的空房拆掉，然后把空地卖给了一位建筑商，所得资金三倍于他为整个交易所花费的成本。两个月的时间，他挣了 7.5 万美元。这笔钱虽然不算多，但它确实高于最低工资，而且在技术操作上也并不复杂。

2. 如何增加资金。一般人只会去找银行贷款，而第二种类型的投资者则知道不找银行就能融资的办法。因为从事房地产投资，我学会了如何不找银行就能买下房子的技巧。房子本身并不太重要，而学到的融通资金的技巧却是无价之宝。

   　　我也时常听到人们说，"银行不会借给我钱"或者"我没有钱去买它"。如果你想成为第二种类型的投资者，你就需要知道如何去做到那些大部分人未能做到的事情。换句话说，大多数人眼睁睁地让缺少资金阻止了他们去做成一笔交易，如果你能越过这些障碍，你就能比那些没有掌握这些技能的人早一步成为百万富翁。

   　　有许多次，我在银行没有一分钱存款的情况下，买下了房子、股票或公寓楼。有一次我买了一幢价值 120 万美元的公寓楼，我的办法就是"成为联系的桥梁"，即通过在卖方和买方之间订立一纸合同来实现目的。首先，我筹集了 10 万美元，这将使我能获得 90 天的宽限期来筹集余下的款项。我为什么要这么做呢？就是因为我知道这么做的价值将是 200 万美元甚至更多。但我后来再没有去筹集款项，因为那位以前借给我 10 万美元的人又给了我 5 万美元买走了这交易机会，于是他取代了我的位置，我则离开了。总的工作时间：三天。所以说，你知道的比你买到的更重要。投资不是买入，而应该说是一个收集信息的过程。

3. 怎样把精明的人们组织起来。聪明的人往往会雇佣比自己
更聪明的人或与他们一道工作。这样，当你需要建议的时
候，你有可以信赖的顾问。

有很多东西需要去学习，因此而得到的回报也会非常大。如
果你不想学习这些技能，那么我就建议你最好做第一种类型的投
资者。你懂得了这一点就是你拥有的最大财富，你不知道这一点
就是你面临的最大风险。

风险总是无处不在，要学会驾驭风险，而不是一味回避风
险。

第六课

不要为金钱而工作

第七章

第六课：不要为金钱而工作

1995年，我接受了新家坡一家报纸的采访。一位年轻的女记者准时赴约，于是采访立即开始进行。我们坐在一家豪华酒店的大厅里，喝着咖啡，谈论我此次新加坡之行的目的。我和畅销书作家齐格·齐格勒一道接受采访。齐格勒谈的是动力问题，而我谈的是"财富的秘密"。

"有一天，我想成为像你这样的畅销书作家。"女记者说。我曾经读过她在报上发表的一些文章，这些文章给我留下了深刻的印象，她的文章文笔犀利，条理清晰，深受读者的欢迎。

"你的文章风格很好，"我回答说，"那么，是什么妨碍了你实现自己的梦想？"

"我的工作似乎没有任何进展，"她平静地答道，"人们都说我的小说非常优秀，但是仅此而已。因此，我依然继续在报社工作，至少，这能挣钱支付账单。不知道你有什么建议？"

"有，"我明确地说。"在新加坡，我有一位朋友办了一所学校，培训人们从事销售。他在这里为新加坡的许多大公司讲授营销课程，我想如果你去听听他的课，或许会对你的职业生涯大有助益。"

她有点不快，"你是说我应该去学习卖东西吗？"

我点点头。

"你是当真的吗？"

　　我又点点头。但她似乎被什么东西激怒了。我有点后悔自己所说的话，就问道："有什么不妥的吗？"本来我是想帮忙，现在却得赶快为自己的建议辩解。

　　"我拥有英语文学硕士学位，我还有一份体面的工作，我干嘛要去学做推销员？我是专业人士，即使我需要到学校接受再教育也是为了获得一份更好的工作，绝不是是为了去当什么推销员，我讨厌那些推销员，他们眼里只有钱。您说说，我为什么非得去学习销售？"她边说边站起身，用力地抓起了自己的提包，于是采访草草收场了。

　　在咖啡桌旁放着她带来的我写的第一本畅销书——《如果你想生活得富裕幸福，要不要去学校？》。我拿起这本书，见到她粘在封面上的一张便条，"你看到这个了吗？"我指着她记的便条。

　　她低头去看自己的便条，"什么？"她困惑地说。

　　我又指了指她的便条，在便条上她写着："罗伯特·清崎，畅销书作家。"

　　"上面写的是**最**畅销书作家，而不是最好的作家。"

　　"我只是一个平庸的作家，而你则是一位优秀的作家。我去了销售学校，而你得了硕士学位。如果把这两方面结合起来，你就既是'畅销书作家'又是'最好的作家'。"

　　她的眼里怒火中烧，"我从来不会屈尊去学什么销售，像你这样的人士也不应该从事写作。我是受过专业训练的作家，而你只不过是一位商人，这并不一样。"

　　她扔掉了便条，匆匆穿过巨大的玻璃门消失在新加坡潮湿的清晨里。

　　至少，在第二天早上，她给了我一个公平、良好的访谈记录。

　　世界上到处都是精明、才华横溢、受过良好教育以及很有天赋的人，我们每天都会碰到他们，他们就在我们的周围。

　　几天前，我的汽车不大灵便。我把它开进维修厂，一位年轻的机械工几分钟之内就把它修好了。他仅凭倾听发动机的声音就能确定哪儿有毛病，这使我感到非常惊讶。

　　然而遗憾的是，真正能够很好地利用这种非凡才华的人总是太少。

　　我常常吃惊为什么有些人才华过人却只挣到很低的收入，我听说只有不到 5% 的美国人年收入在 10 万美元以上。一位对药品贸易很精通的商务顾问曾经告诉我，有许多医生、牙医和按摩师在财务上困难重重。以前我总是以为他们一毕业，美元就会滚滚而来。这位商务顾问最后告诉了我一句话："他们只有一项技能，所以他们挣不到大钱。"

　　这句话的意思是说，大部分人需要学习并掌握不止一项技能，只有这样他们的收入才能获得显著增长。以前我提到过，财商是会计、投资、市场营销和法律等各方面能力的综合。将上述四种专业技能结合起来，以钱生钱就会容易得多。为了赚钱，只有一项技能的人只能努力工作。

　　有关综合技能的典型例子就是那位为报纸撰稿的年轻作家。如果她能勤奋学习掌握市场及销售方面的技能，她的收入就会显著增加。要是换了我，我一定会去学习一些有关书籍的广告课程和销售方面的课程，然后，我将在一家广告公司找一份工作，而不是去报社。即使这样做会使收入降低，但我却能从那里学到在成功的广告中使用的"用几秒钟交流"的技巧。我还会花时间去学习公共关系这一重要技能，以便通过灵活的公共关系来赚取数百万美元。然后，在晚上或周末，去创作我的大作。所有这些都做到以后，我必定能使自己写的书畅销，并且，在短时间内，成为一位富有的"畅销书作家。"

　　当我第一次带着我写的书《如果你想生活得富裕幸福，要不要去学校？》去见一位出版商时，他建议我将书名改为《经济学教育》。我告诉出版商，如果使用这个书名，我只能卖出两本书：一本给我的家人，另一本给我最好的朋友，可他们还希望免费得到它。选择《如果你想生活富裕幸福，要不要去学校？》这一"可憎的"书名，却会受到大众的欢迎。我赞成教育，但认为应进行教育改革，我一直在呼吁改革我们陈旧的教育体制。我之所以选择这样一个能使我有机会在更多的电视和电台节目中露面的书名，是因为我愿意成为"有争议"的人物。许多人可能认为我没有什么深度，但这本书却一版再版。

1969 年，我从美国商业海洋学院毕业了。我受过良好教育的爸爸十分高兴，因为加州标准石油公司录用我为它的运油船队工作。我是一位三副，比起我的同班同学，我的工资不算很高，但作为我离开大学之后的第一份真正的工作，也还算不错。我的起始工资是一年 4.2 万美元，包括加班费。而且我一年只需工作 7 个月，余下的 5 个月是假期。如果我愿意的话，可不休那 5 个月的假期而去一家附属船舶运输公司工作到越南去，这样做能使年收入翻一番。

尽管前面有一个很好的职业生涯等着我，但我还是在 6 个月后辞职离开了这家公司，加入海军陆战队去学习飞行。对此我受过良好教育的爸爸非常伤心，富爸爸则祝贺我作出的决定。

在学校及在工作单位，最普遍的观点就是"专业化"，也就是说，为了挣更多的钱或者得到提拔，你需要"专业化"。这就是医学院的学生们一入学便立即开始寻求某种专长，如正骨术或儿科学的原因。对于会计师、建筑师、律师、飞行员及其他很多行业也是这样。

我那受到良好教育的爸爸也信奉同样的教条，因此，当他最终得到博士学位时他非常激动。不过他也时常感慨，社会对知识学得多的人给予的奖励少之又少。

富爸爸鼓励我去做恰好相反的事情。"对许多知识你只需要知道一点就足够了"，这是他的建议。所以，多年来我在他的位于不同地区的一些公司工作，我还到他的会计部门工作，虽然我从来不想去做一名会计，但他希望我借助"渗透法"学习到会计的一些常识。富爸爸相信我会明白那些"行话"，而且懂得哪些东西是重要的，哪些东西不重要。我也曾做过公共汽车售票员、建筑工人、推销员、仓库保管员和市场营销人员。富爸爸则一直在培养我和迈克，他坚持让我们列席他与自己的银行家、律师、会计师和经纪人的会议，希望我们能对他的商业帝国的每一个细小部分都能有所了解。

　　当我放弃在标准石油公司收入丰厚的工作后，我受过良好教育的爸爸和我进行了推心置腹的交流。他非常吃惊和不理解我为什么要辞去这样一份工作：收入高，福利待遇好，闲暇时间长，还有升迁的机会。他一晚上都在问我："你为什么要放弃呢？"我没法向他解释清楚，我的逻辑与他的不一样。最大的问题就在于此，我的逻辑和富爸爸的逻辑是一致的，而他的逻辑与富爸爸的逻辑却从不相同。

　　对于受过良好教育的爸爸来说，稳定的工作就是一切。而对于富爸爸来说，不断学习才是一切。

　　受过良好教育的爸爸希望我去学校学习做一名船员，而富爸爸则认为我去学校是为了学习从事国际贸易。因此，在我做学生时，我跑过货运，驾驶过去远东及南太平洋的大型运输船、油轮和客轮。富爸爸强调我应乘船在太平洋上航行而不是去欧洲，因为他认为"新兴国家"位于亚洲而不是欧洲。当我的大部分同班同学，包括迈克，在他们的兄弟会馆内举办晚会的时候，我正在日本、泰国、新加坡、越南、韩国、菲律宾及中国的台湾、香港等地学习贸易、人际关系、商业类型和文化。我也参加晚会，但不去任何兄弟会馆，我迅速地成熟起来了。

　　受过良好教育的爸爸更加无法理解我为什么决定放弃工作而加入海军陆战队。我告诉他我想要学习飞行，但实际上我是想学会指挥部队。富爸爸曾给我解释说，管理一家公司最困难的工作是对人员的管理。他在军队里呆过三年，而受过良好教育的爸爸则免服兵役。富爸爸告诉我学习在危险形势下领导下属的重要性，"领导才能是你下一步迫切需要学习的，"他说，"如果你不是一个好的领导人，你就会被别人从背后射中，商业活动就像在战争中一样。"

　　1973年从越南回国后，我离开了军队，尽管我仍然热爱飞行，但我在军队中学习的目标已经达到。我在施乐公司找了一份工作，加盟施乐公司是有目的的，不过不是为了物质利益。我是一个腼腆的人，对我而言营销是世界上最令人害怕的课程，而施乐公司拥有在美国最好的营销培训项目。

富爸爸为我感到十分自豪，而受到良好教育的爸爸则为我感到羞愧。作为知识分子，他认为推销员低人一等。我在施乐公司工作了四年，直到我不再为吃闭门羹而发怵。当我稳居销售业绩榜前五名时，我再次辞去了工作，放弃了又一份不错的职业和一家优秀的公司。

1977 年，我组建了自己的第一家公司。富爸爸培养过迈克和我怎样管理公司，现在我就得学着应用这些知识了。我的第一种产品尼龙带搭链的钱包，在远东生产，然后装船运到纽约的仓库里，仓库离我去上学的地方很近。我的正式教育已经完成，现在是我单飞的时候了。如果我失败了，我将会破产。富爸爸认为破产最好是在 30 岁以前，他的看法是"这样你还有时间东山再起"。就在我 30 岁生日前夜，我的货物第一次装船驶离韩国前往纽约。

直到今天，我仍然在做国际贸易，就像富爸爸鼓励我去做那样，我一直在寻找新兴国家的商机。现在我的投资公司在南美、亚洲、挪威和俄罗斯等地都拥有投资。

有一句古老的格言说，"工作的意义就是'比破产强一点'。"然而，不幸的是，这句话确实适用于千百万人，因为学校没有把财商看作是一种智慧，大部分工人都"按他们的方式活着"，这些方式就是：干活挣钱，支付账单。

还有另外一种可怕的管理理论这样说："工人付出最高限度的努力工作以避免被解雇，而雇主提供最低限度的工资以防止工人辞职。"如果你看一看大部分公司的支付额度，你就会明白这一说法确实道出了某种程度的真实。

纯粹的结果是大部分工人从不越雷池一步，他们按照别人教他们的那样去做：得到一份稳定的工作。大部分工人为工资和短期福利而工作，但从长期来看这样做却常常是灾难性的。

相反，我劝告年轻人在寻找工作时要看看能从中学到什么，而不是只看能挣到多少。在选择某种特定的职业之前或者在陷入为生计而忙碌工作的"老鼠赛跑"之前，要仔细看看脚下的道路，弄清楚自己到底需要获得什么技能。

一旦人们为支付生活的账单而整天疲于奔命，就和那些蹬着小铁笼子不停转圈的小老鼠一样了。老鼠的小毛腿蹬得飞快，小铁笼也转得飞快，可到了第二天早上醒来，他们发现自己依然困在老鼠笼里。

在巨星汤姆·克鲁斯主演的电影《杰里·马圭尔》中，有许多非常好的台词。可能最容易记住的一句是"把钱给我看看"，我觉得这句台词可算是句真理。那是汤姆·克鲁斯离开公司时的一幕，他刚被炒了鱿鱼，于是就问全公司的人："谁愿意和我一起走？"整个公司鸦雀无声，空气都凝固了。只有一位妇女站出来说，"我愿意……可是过三个月后我就能得到升职了。"

这句话在整部电影里可能是最实在的一句话，这句话道出了人们总是为生计而忙碌工作的原因。我知道，受到良好教育的爸爸每年都在期望加薪，但每年他都十分失望。于是他不得不回到学校去获得更高的学历资格，以便能得到另一次加薪的机会。但是很快，他又会再次失望。

我经常向人们提出的一个问题是："你每天忙碌的目的是什么？"就像那只从不停歇的小老鼠一样，我想知道人们是否会想一想这样辛苦工作，到头来究竟是为了什么？未来的日子又该怎么过呢？

美国退休者协会前任会长西里尔·布里克弗利克的报告说，私人养老金管理正处于一种混乱状态。在今天有50%的为政府工作的劳动力没有退休金，另外的50%的人中有75%至80%的人的养老金不能足额发放，他们每月只能领到55美元、150美元或300美元。

克莱格·S·卡佩尔在他的《退休的秘密》一书中写道：我采访过一家主要的全国性养老金咨询公司，并同一位专门为高级管理人员制定退休计划的经理谈话，当我问她那些非白领劳动能得到多少养老金收入时，她耸耸肩，"如果战后生育高峰期出生的这一代人发现，当他们年老的时候并没有足够的钱来维持生计，他们会大失所望的。"卡佩尔接着分析了原先的"退休福利计划"和后来更加不可靠的"401K计划"之间的区别。对于今天仍在工作的大部分人来说这可不是一幅美妙的图画，而这仅指退休金，如果加上医疗和长期家庭护理费用，这幅图景将会更加可怕。在1995 出版的一本书中，卡佩尔指出平均每年的家庭护理开支高达3 万美元到 12.5 万美元。1995 年，当他去自己所在地区的一家并没有什么豪华设施的家庭护理所时，发现价格竟达到每年 8.8 万美元。

在一些拥有社会医疗保障的国家，许多医院不得不作出一些困难的抉择，例如"让谁活下来而让谁不得不死去"。他们纯粹是根据这些病人有多少钱、年纪有多大作出这些决定的。如果病人年老了，他们常常将医疗服务提供给更年轻的人，而那些又老又穷的病人只好排在队伍的末尾。因此，就像富人能得到更好的教育一样，富人也能使自己活得更长一些，而那些贫穷的人只好早早死去。

所以，我怀疑，是否工人们只有在看到将来的情形，或者等到下一次付账的时候，才会对自己的未来产生疑问呢？

当我对那些想挣更多钱的成年人演讲时，我总是建议他们对自己的人生要有一个长远的眼光。我承认为了金钱和生活安稳而工作是非常重要的，但我仍然主张去寻找另一份工作，以从中学到另一种技能。我常常提议，如果想学习销售技能的话，最好进入一家拥有连锁营销系统或称为多层次市场的公司。这类公司多半能够提供良好的培训项目，帮助人们克服失败造成的沮丧和恐惧心理，而这种心理往往是导致人们不能取得成功的主要原因。从长远来看，教育比金钱更有价值。

当我提出这些建议时，我常常听到这样的反应，"这太麻烦了"，或者"我只想做我感兴趣的事情"。

对于"太麻烦了"的说法，我问："因此，你宁可辛苦工作一生，并把挣来的 50% 的收入交给政府？"对于另一种说法说"我只想做我感兴趣的事情"，我说："我对进健身房做运动并不感兴趣，但我还是去练习，因为我想身体更好，活得更长久。"

遗憾的是有一些古老的说法仍然颇有道理，像"你无法教会一匹老马新的技巧"，除非一个人习惯于变化，否则改变自我是十分困难的。

　　但是，为了你们中间那些对于"工作是为了学习新东西"的观点持游移不定态度的人，我还想说出一句话作为鼓励：生活就像我去健身房，最痛苦的事情是作出去锻炼的决定，一旦你过了这一关，以后的事情就好办了。有很多次，我害怕去健身房，但是只要我去了，我心里就会感到非常愉快。做完了健身练习后我总是非常高兴地对自己说：做运动真好！

　　如果你坚持不愿意学习新东西，愿意仅在你的领域里成为专家，那么你一定要确信你工作的公司是有工会的，并且工会会保护专门人才。

　　对我个人来说，我不倾向于劳资双方的任何一方，因为我能理解双方各自的需要和利益。如果你按学校所教育的那样去做，成为一位专门人才，那么最好寻求工会的保护。例如，如果我继续我的飞行生涯，我就会寻找一家拥有强有力的飞行员工会的公司。为什么？因为我将终生只在该行业里学习到一种有价值的技能，如果我被这一行业所抛弃，我一生所学的技能对于其他行业便毫无用处。一位拥有10万小时驾驶大型运输机记录的高级飞行员，每年能挣15万美元，可一旦下岗，就很难找到一个收入相当的在学校教书的工作了。技能不一定能从一个行业转到另一个行业，在航空业受到看重的飞行员的技能在学校教育系统并不受重视。

　　甚至对于今天的医生来说也同样适用。随着医学的变化，许多医药专家需要加入"健康和医疗组织"这样的医疗机构，教师也一定要求是工会会员。在现今的美国，教师工会是所有工会中最大、最富有的一个，全国教育联合会拥有巨大的政治影响。教师们需要工会的保护，因为他们技能的价值也只是限于学校教育系统内部。因此法则就是：如果你是高度专业化人士，就加入工会，这是应该做的聪明事。

　　当我在自己教的班上问到"你们中间有多少人能够做比麦当劳更好的汉堡包"时，几乎所有的学生都举起了手。我接着问，"如果你们中大部分人都能做出比麦当劳更好的汉堡包，那为什么麦当劳比你们更能赚钱？"

答案是显而易见的：麦当劳拥有一套出色的商务体系。许多才华横溢的人之所以贫穷，是因为他们只是专心于做好汉堡包，而对如何运作商务体系却知之甚少。

我有位夏威夷的朋友是很棒的艺术家，但他挣的钱屈指可数。一天，他母亲的律师打电话告诉他，他母亲留给他3.5万美元，这是他母亲的房地产在扣除律师费用和政府税收后的余额。不久后，他发现了一个可以促进他的事业的"机会"。为此，他需要利用这笔钱的一部分来做广告，以扩大他的影响。两个月后，他的第一个四色整页广告出现在一份昂贵的杂志上，其读者主要是富人。然而广告刊登了三个月后，没有收到任何效果，他所继承的遗产却被全部花光了。现在他想以误导为由起诉那家杂志。

这是有关只懂做好汉堡包，不懂得如何将汉堡包卖出去的一个典型例子。我问他学到了什么，他只是回答说"广告商都是骗子。"于是我问他是否愿意学习一门销售课程和一门直销课程，他回答："我没时间，也不愿意浪费钱。"

世界上到处都是有才华的穷人。在很多情况下，他们之所以贫穷或财务困难，或者只能挣到低于他们本来能够挣到的收入，不是因为他们已知的东西而是因为他们未知的东西。他们只将注意力集中在提高和完善做汉堡包的技能上，却不注意提高销售和发送汉堡包的技能。也许麦当劳不能做最好的汉堡包，但他们能够在做出一般水平的汉堡包的前提下，做最好的销售和发送工作。

穷爸爸希望我有所专长，这也是在他看来能够获得更高收入的途径。即使是在夏威夷州长通知他不能再在州政府工作时，我受到良好教育的爸爸仍然继续鼓励我学些专长。后来，受到良好教育的爸爸接手了教育工会的工作，为那些高级专业人才和受到良好教育的人士能得到更多的生活保障而努力。我们经常争论此事，但我知道，他从不认为过分专业化是导致这些人需要工会保护的原因。他不能理解，为何你越专业化，就越是陷入陷阱，无法自拔。

富爸爸建议我和迈克"培养"自己。许多企业也做同样的工作，他们在商业学校寻找一位年轻聪明的学生，并开始"培养"他，希望有朝一日他有能力领导这家公司。因此，这些聪明的年轻职员并不去专门钻研某一个部门的业务，而是从一个部门转移到另一个部门，从而学到整个企业系统各个方面的知识。富人们也常常这样"培养"他们的孩子或别人的孩子，通过这样做，孩子们能够对如何经营一家企业有一个整体的认识，并能知道不同部门之间的相互关系。

对于经历过二次世界大战的那一代人来说，从一家公司跳槽到另一家公司被看作是一件"坏事"，而今天人们却认为这是精明之举。既然人们愿意从一家公司跳到另一家公司，而不愿意寻求更深入的专业知识，那为什么不寻求多"学"、进而多"挣"呢？尽管从短期来看，你可能因此挣得较少；但从长期来看，你将从中获得巨大的收益。

成功所必要的管理素质包括：

1. 对现金流的管理；
2. 对系统（包括你本人、时间及家庭）的管理；
3. 对人员的管理。

最重要的专门技能是销售和懂得市场营销。销售技能是个人成功的基本技能，它涉及到与其他人的交往，包括与顾客、雇员、老板、配偶和孩子的交往。而交际能力，如书面表达、口头表达及谈判能力等对于一个人的成功更是至关重要。我就是通过学习各种课程、买来教学磁带等来增长知识并不断提高自己的这一技能而最终获得成功的。

正如我提到过的那样，我受过良好教育的爸爸工作越来越努力，也越来越具有竞争力，但他也更深地陷入对自己专业特长的依赖之中。虽然他的工资收入增长了，可他的选择机会却消失了。等到失去了政府中的工作，他才发现自己从职业选择上来讲是多么地无能为力。这就好比职业运动员突然受伤或者年龄太大而无法再参加比赛一样，他们曾经拥有的高收入工作已经失去，而有限的技能又使他们无法另辟蹊径。我想，这就是为什么从那时起，我那受过良好教育的爸爸会变得如此支持工会的原因了，因为他意识到工会能给他带来很大的利益。

富爸爸鼓励我和迈克对许多东西都去了解一点儿。他鼓励我们去和比我们更精明的人一起工作，并把他们组织成为一个团队。现在这种做法被称为专家组合。

今天，我看到以前的学校教师现在每年能挣到数十万美元，他们能挣这么多是因为他们不仅在本专业拥有特长，而且也拥有其他方面的技能。他们既能教书，也能做销售和市场。我还不知道是否有比销售和市场更重要的技能，但掌握销售和市场技能对大部分人来说是困难的，这主要是因为他们害怕被拒绝。所以，你在处理人际交往、商务谈判和控制被拒绝时的恐慌心理方面做得越好，生活就会越轻松。就像我对那位想成为"畅销书作家"的女作家所建议的一样，我今天也给其他所有的人这个建议。在专业技能上非常精通既是优势也是弱点。我有许多朋友，他们非常有天赋，但他们不善于与其他人进行更多的交流去发挥他们的天赋，结果他们挣的钱少得可怜。我建议他们花一年时间来学习销售，即使什么也没挣到，可他们处理人际关系的能力会大大提高，而这种能力是无价的。

除了成为好的学习者、销售者和市场营销者外，我们还需要成为好老师、好学生。要想真正富有，我们要能付出也要能得到。对于那些被财务或职业所困的人来说，他们常常既缺乏给予，也无力索取。我知道许多人之所以贫穷是因为他们既不是好教师也不是好学生。

我的两个爸爸都是雄心勃勃的人，他们都把付出放在第一位。教学是他们付出的途径之一，他们付出的越多，得到的也越多。但一个明显的区别是对金钱的付出。我的富爸爸给予别人许多钱，他把钱捐给教堂、慈善机构以及他的基金会，他懂得如果想要得到金钱，就必须先付出金钱。付出金钱是那些非常富有的家庭保持财富的一个秘诀，这也是例如洛克菲勒基金会、福特基金会这样的机构存在的原因。建立这些机构是为了获取财富，通过定期付出财富再去增加更多的财富。

我那受过良好教育的爸爸总是说："当我有多余的钱时，我就把它捐出来。"问题是他从来就没有多余的钱。因此他工作更加努力以挣到更多钱，却没有注意到一条最重要的金钱法则："给予，然后获得"。相反，他却信奉"得到了然后再付出"。

总之，我同时受到两个爸爸的影响。一方面我是资本主义的坚定信奉者，喜欢以钱生钱的游戏；另一方面我又是一个怀有社会责任感的教师，深深关注贫富之间日益加深的鸿沟。我个人认为，尚不完善的教育体系应对这一鸿沟的加深负有责任。

开　端

第八章
克 服 困 难

人们经过学习，掌握了财务知识，但在通向财务自由的道路上仍面临着许多障碍。我们知道，资产项目可以产生大量的现金流，使人们自由地过上梦想中的生活，而不必整天为了生计忙碌工作，但掌握财务知识的人很多时候仍然不能拥有充裕的资产项目，其主要原因有五个：

  1．恐惧心理；

  2．愤世嫉俗；

  3．懒惰；

  4．不良习惯；

  5．自负。

原因之一：对可能损失金钱的畏惧心理。我从来没有遇到过喜欢损失金钱的人，但在我的一生中，也从来没有遇到过一位从未损失过金钱的富人。可我曾经遇到过许多从未损失过一毫的穷人——我是说在投资活动中。

对损失金钱的恐惧是确实存在的，每个人都有这种恐惧心理，甚至富人也有。但恐惧本身并不成其为问题，问题在于你如何处理恐惧心理，如何处理损失问题。处理失败方式的不同造成了人们生活的差异，不仅是对金钱，对生活中的任何事情的处理都是这样。富人和穷人之间的主要差别在于他们处理恐惧心理的方式不同。

感到恐惧是正常的，在涉及到金钱时表现出怯懦也是正常的，即使如此你仍然有机会变得富有。我们每个人都在某些方面是英雄，而在另外一些方面是懦夫。我朋友的太太是一位急救室护士，当她面对流血的病人时，会飞快地冲上去救治，可是当我提到投资时，她却避而不听。不过当我看到鲜血时，却决不会跑上去，而是会躲到一边。

我的富爸爸理解人们对金钱的恐惧症。"一些人非常怕蛇，一些人非常害怕失去金钱，这都是恐惧症。"因此，他有个克服害怕失去金钱的恐惧心理的小决窍："如果你讨厌冒险，对金钱损失感到担心，就早点动手积累属于你的金钱。"

这也是为什么银行建议你在年轻时把储蓄当作一种习惯的原因。如果你在年轻的时候就开始积累了，你就更容易致富。当然，我并不认为储蓄是一种好的财富积累方法，我不愿意在这里详细讨论这个问题，但应该看到在那些从 20 岁开始储蓄与从 30 岁开始储蓄的人之间，的确存在着巨大的差异。

有人说这世界的奇迹之一就是复利计息。据说，购买曼哈顿岛是有史以来最廉价的交易之一，纽约被以价值 24 美元的廉价小玩艺买下来。然而，如果将那 24 美元用于投资，以 8% 的年利率计算，到 1995 年这 24 美元就会变成 28 万亿美元。如果把 24 美元存起来，到今天也可以把曼哈顿重新买下来，特别是以 1995 年的房地产价格计算的话。

我的邻居为一家大电脑公司工作，他在那儿干了 25 年。再过 5 年多一点的时间后，他将离开那家公司，按 "401K 计划" 他将得到 400 万美元。这些钱大部分将被投资于高增长的共同基金，他也可以将其转换成公司债券和政府债券。他离开公司时只有 55 岁，每年却能获得超过 30 万美元的现金流入，这比他的工资收入还要高。所以，如果你害怕损失或者讨厌冒险，你至少可以做到这一点。但是，你必须早行动而且制定一个完善的退休计划，此外你还要聘请一位自己信得过的财务顾问，以便在你作出任何投资决定之前，他能对你进行指导。

可是，如果你没有很多时间或者希望早点退休，又该怎么办呢？你怎样来应付损失金钱的恐慌心理呢？

我的穷爸爸在这方面什么也没做。他只是一味回避这个问题，拒绝进行讨论。

我的富爸爸恰恰相反，他建议我要像得克萨斯人那样思考。"我喜欢得克萨斯州和得克萨斯人，"他常常说，"在得克萨斯，什么东西都大气。如果得克萨斯人赢了，他们就会赢得很多；如果他们输了，也会令人称奇。"

"难道他们喜欢失败吗？"我问道。

"我不是这个意思，没有人喜欢失败。'如果一定要让我看到一个失败者，就让我看到一个快乐的失败者'，"富爸爸说，"这就是得克萨斯人对于风险、收益和失败的态度。这是他们驾驭生活的方式，他们活得很大度，不像这儿的大部分人碰到金钱问题时，生活态度象斜齿鳊一样。斜齿鳊在有人用光照到它们时会非常害怕，而这种人在杂货店职员少找给他们两毛五分钱时，便会抱怨不停。"

富爸爸接着解释说："我最喜欢的是得克萨斯式的生活态度，他赢了会感到骄傲，输了也会自我夸耀。得克萨斯人有一句谚语，'如果你即将破产，那就破产得更严重些'。他不愿意让你认为他仅仅因为一幢复式公寓而破产。"

富爸爸经常告诉我和迈克，在财务上不能获得成功的最大原因是大部分人的做法过于安全。"人们因为太害怕失败，所以才会失败。"这是他常说的话。

对此前全美橄榄球联赛的杰出球员弗朗·塔肯顿还有另一种说法："胜利意味着不害怕失败。"

在我的生活中，我注意到失败常常伴随着成功。在我最终学会骑自行车之前，我曾经跌倒过许多次，我从来没有遇到过不曾打丢球的高尔夫球手，也从未见过不曾伤心过的恋人，更未曾见过从不损失金钱的富人。

因此，对大多数人来说，他们在财务上不能获胜的原因是因为对他们而言损失金钱所造成的痛苦远远大于致富所带来的乐趣。得克萨斯人的另一句谚语讲道："人人都想上天堂，却没有人想死。"可是不死怎么能进入天堂呢，这就如同大部分人梦想发财，但却害怕在投资过程中损失金钱，所以他们永远进不了"天堂"。

富爸爸过去常常给我和迈克讲他到得克萨斯旅行的故事。"如果你真的想学习如何面对风险、损失和失败，就去圣安东尼奥的阿拉莫。"阿拉莫的传说是关于勇敢者在知道毫无战胜怪物的希望的情况下依然选择战斗的故事，他们宁可选择死亡也不愿意投降。这是一个值得学习的激动人心的故事，然而，这的确是一次悲壮的军事上的失败。你想知道得克萨斯人面对失败时，是怎样做吗？他们高声呼喊："记住阿拉莫！"

我和迈克多次听到这个故事。在做大生意之前或者感到不安的时候，富爸爸就会给我们讲这个故事；当他把一切仔细安排好或者一件事情结束的时候，他也会给我们讲这个故事；每次当他担心犯了错误或害怕损失金钱时，他还会给我们讲这个故事。这个故事给了他力量，因为它总在提醒富爸爸，只要充满信心，努力奋斗，总能将财务损失变成财务赢利的。富爸爸知道失败只会使他更加强大，更加精明。他并不愿意损失，但他清楚自己是什么样的人，知道该怎样去面对损失。他会接受损失并将它变成赢利，而这也是他最终成为赢家而别人成为失败者的最根本的原因；同时这也是当别人退出时，他依然有勇气去冲过终点线的原因。"这就是我为什么非常喜欢得克萨斯人的原因。他们接受失败的现实并把它转变成通向成功道路上的一个个插曲。"

今天我对富爸爸的这番话有了越来越深的体会："得克萨斯人并不掩饰他们的失败，他们愈挫愈奋，他们接受自己失败的现实并将失败转化为动力。失败激发得克萨斯人成为成功者，而这个公式并不仅只适用于得克萨斯人，它适用于所有的成功者。"

就像我前面说过的：从自行车上跌下来是学习骑车的一个组成部分，我还记得从车上摔下来使我更加坚定地要学会骑车；同样的，世界上没有从未打失过一球的高尔夫球球手，作为一位职业高尔夫球高手，打失一个球或输掉一场比赛只会激励他做得更好，练得更努力，学更多的东西。对于胜利者，失败激励他们；对于失败者，失败会击垮他们。

用洛克菲勒的话来说，就是"我总是试图将每一次灾难转化成机会。"

作为一个日裔美国人，我可以说这样的话。许多人说珍珠港事件是美国人的失误；而我却认为这是日本人的最大失误。在电影《虎、虎、虎》中，一个悲哀的日本海军上将对自己的亲密助手说："我担心我们摇醒了一个沉睡着的巨人"。果然"记住珍珠港"成为一句具有巨大感召力的口号，它把美国最大的损失之一变成了取得胜利的原因之一，这次巨大的失败反而给了美国力量，从此美国很快就崛起成为一个世界强国。

失败会激励胜利者，也会击垮失败者，这是胜者之所以胜利的最大秘密，也是失败者所不知道的秘密。重复一下弗朗·塔肯顿的话："胜利意味着不畏惧失败"。像弗朗·塔肯顿这样的人不害怕失败，因为他们了解自己，他们和所有人一样讨厌失败，但失败只会激发他们做得更好。要知道讨厌失败和害怕失败之间有着巨大的差异，大部分人因为太害怕失败而失败，他们甚至会因一幢两套房的复式公寓而完全破产，财务上他们做得过于安全、规模太小，他们买大房子、大轿车，却不去做大的投资。90%的美国公众财务困难的主要原因就在于他们是为了避免损失而理财，而不是为了赢利而理财。

一部分人会选择去找财务顾问或会计师、股票经纪人等，购买一个安全的投资组合。他们中的大部人将大量现金以大额存单、低收益债券，可以在共同基金内部买卖的共同基金，以及一点私人股票的形式进行投资。这是一个安全而合理的投资组合，却并不是一个赢利的投资组合，说到底这是人们为避免损失而做的一种投资组合。

比起其他超过70%的人来，这可能还算是一个较好的投资组合。对于另外70%的人来说，即便是这种组合可能依然让他们感到担心，因此除了储蓄他们根本不做任何投资。毕竟，一个安全的投资计划要比什么投资计划都没有强得多。一个安全的投资计划对于偏好安全的人来说是一个很好的计划，但是，安全地、"平衡地"投资于一个投资组合却不是一个成功的投资者应有的投资行为方式。如果你没有什么资金而又想致富，你首先必须"集中"于一点，而不是追求"平衡"或者说是"分散风险"。那些成功者，在最初并不是追求"平衡"的，追求平衡的人只会在原地踏步而不会前进。要取得进步，你就必须先做到"不平衡"，并注意你怎样才能使自己不断取得进展。

爱迪生不追求平衡，他集中精力于某样东西；比尔·盖茨也不追求平衡；索罗斯把注意力紧紧盯在一点上；乔治·巴顿从不会把他的坦克布署在很长的战线上，而是把坦克集中起来攻击德国防线上最薄弱的地方，与此相反，法国人布置了漫长的马奇诺防线，其结局众所周知。

如果你有致富的愿望，你必须集中精力。把很多鸡蛋放在较少的篮子里（当然你还要确信篮子的结实程度）。不要把很少的鸡蛋放在许多篮子里。

如果你不愿失败，那就安全地投资；如果损失会使你元气大伤，那就稳妥一点，去做一个平衡的投资。你要是已经超过了25岁，并且害怕冒险，那就不要改变自己的投资方式。但以安全的方式进行投资，就要尽早起步，要早点开始积累你的"鸡蛋"，因为以这种方式积累需要大量的时间。

然而，假使你梦想得到财务自由——从"老鼠赛跑"般的忙忙碌碌中解脱出来，你要自问的第一个问题应该是："我该如何去面对失败？"如果失败能激励你去争取胜利，可能你就应该去争取每一次投资机会——但仅仅是可能；如果失败会使你损失惨重，或者使你烦躁不安，你就会像一个愣头青一样遇到什么不如意的事情就打电话找律师提起诉讼，那就最好做稳妥性的投资，继续你的日常工作，或许购买些债券、共同基金，但是要记住，这些工具也同样存在风险，即使它们要较为安全一些。

我说了这么多，还列举了得克萨斯人和弗朗·塔肯顿的故事和言论，只是想说明积聚资产项目非常容易，这就好比是玩一场低智能游戏，不需要受到很多教育，五年级数学水平就够了。然而，将资产用于投资却是一种高智商游戏，它需要胆量、耐心和对待失败的良好态度。失败者回避失败，而失败本来是可以使失败者转变为成功者的。所以一定要"记住阿拉莫"。

原因之二：克服愤世嫉俗的心理。"天要塌下来了，天要塌下来了。"很多人都知道"小鸡的故事"，小鸡总是围着谷仓转，警告即将到来的厄运。我们知道有的人也爱这么做，其实我们每个人内心也都有"小鸡"式的想法。

就像我前面指出的那样，愤世嫉俗的人简直就像"小鸡"一样，每当他们心里害怕、疑虑的时候，就会表现得像一只"小鸡"。

我们会对自己产生怀疑："我不太精明"、"我不够好"、"谁谁都比我强"等等，怀疑常常使自己寸步难行。我们总是自问"要是这样的话该怎么办"，"要是经济恰好在我投资之后开始衰退怎么办"，或者"要是我失去了工作而不能偿还借款怎么办"。有时我们的朋友或者关系密切的人会主动提醒我们注意自己的某些缺点，他们常常会说，"什么让你认为能做这些事"或者说"如果这是一个好主意，那其他人怎么不做呢"或者是"这不会起什么作用的，你根本不知道自己在说些什么"。这些怀疑的话的影响如此强烈，以至于我们无法将自己的计划付诸行动，可怕的感觉在心中滋生，有时我们甚至由此而夜不能寐。我们无法向前迈进，因为我们想守着那些安全的东西，而机会却从身边溜掉了。我们眼睁睁地看着时光流逝，心中的结使我们无所作为。在生活之中或多或少我们都会产生这样的状态。

彼得·林奇，来自"忠诚马吉兰"共同基金，把"天要塌下来"的"警告"比作是"噪音"，而我们都听过这样的"噪音"。

"噪音"既有来自我们头脑内部的，也有来自我们外部的，通常会来自朋友、家庭、同事和新闻媒体。林奇回忆在20世纪50年代，那时候，新闻媒体中充斥着核战争的威胁，人们开始修筑战时掩护所，储存食物和水。如果他们明智地将资金投在市场上，而不是用来建筑战时掩护所，他们今天可能已经实现了财务上的独立自主。

几年前当洛杉矶爆发骚乱时，全国的枪支销售额都上升了。在华盛顿州有个人因吃了汉堡包中的生肉致死，于是亚利桑那州卫生部门命令餐馆将所有的牛肉完全煮熟。一家药品公司在一家全国性电视台商业性地播放人们患上了流感的节目，当感冒患者上升的时候，该公司的感冒药销售额也随之增长。

大部分人之所以贫穷，是因为在他们想要投资的时候，周围到处是跑来跑去的"小鸡"，叫嚷着"天要塌下来了，天要塌下来了"。"小鸡"们的说法很有影响力，并在我们每个人的心中引起共鸣。因此，我们常常需要极大的勇气，不让谣言和杞人忧天式的怀疑加剧我们的恐惧心理和对自己的疑虑。

1992年，我有一个叫理查德的朋友从波士顿来到凤凰城探访我和我太太，他对我们经营股票和房地产非常着迷。当时凤凰城的房地产价格非常低，我们花了两天时间，向他介绍在我们看来是获取现金流和资本收益的那些极好的机会。

我和我太太并不是房地产专家，我们仅仅是投资者。在调查了一处位于附近社区的单元房的情况后，我们给一家房地产公司打电话，并由这家公司在那天下午将这套单元房卖给了我的这位朋友。一套两居室的城镇住宅售价仅为4.2万美元，类似的单元要卖到6.5万美元。他找到了一笔廉价交易，于是很高兴地买下了它并回到波士顿。

两周后，那家房地产公司打电话给我，说我的朋友反悔了。我立即给他打电话，想弄清楚原因。他只是说，他对他的邻居说了这件事，而邻居对他说这是一笔糟糕的交易，他支付的价格太高了。

我问理查德，他的邻居是不是一位投资家，理查德回答说"不是"。当我问他为什么会听从邻居的话时，理查德没有正面回答，只是说他想再观望一阵。

到了1994年，凤凰城的房地产市场开始回暖。一套小单元房的租金每月达1000美元，冬天最高时达到过2500美元，1995年这套单元房价格为9.5万美元。理查德当时需要投入的全部资金仅为5000美元，这样他就可以开始脱离"老鼠赛跑"一般的劳碌工作了，而今天，他仍然一事无成。凤凰城的廉价交易依然存在，不过现在你再想要找到它们会困难一些了。

理查德的反悔并未让我感到惊讶，这被称为"买家反悔"。这种心理影响着我们所有的人。当我们反悔时，意味着我们疑虑了，"小鸡"得逞了，而实现财务自由的机会却丧失了。

在另一个例子中，我通过持有一小部分拥有税收留置权的资产，来替代大额存单投资。这使我的钱每年能挣到16%的利息，已经大大高于银行提供的5%的利率。这种权利受到房地产法和州法律的保证，且这种保证的可靠性强于大多数银行存款。事实证明这种投资的方式使资金十分安全，只是缺乏流动性，所以我把它们看作是2至10年期限的大额存单。然而几乎每次当我告诉某个人（特别是当他拥有大额存单投资时），我以这种方式持有资金，他们就会告诉我这样做太冒险。他们还会告诉我为什么我不应该那样做，但当我问他们从哪儿得到这些信息时，他们就会说是来自朋友那里或是投资杂志。他们从来没有这样投资过，但他们却老是劝这样做的人不要这样做，我所寻求的最低收益率为16%，可那些顾虑重重的人却愿意接受5%的投资收益率。怀疑的代价真的太高昂了。

我的观点是：顾虑和愤世嫉俗的心态使大多数人一直生活得贫困但很安全。现实世界等着你去致富，可就是这些顾虑使人们摆脱不了贫穷。正如我所说，摆脱"老鼠赛跑"的生活在技术上讲是十分容易的，这不需要接受太多教育，可那些顾虑使得大多数人寸步难行。

"愤世嫉俗者从来不会赢。"富爸爸说。"未经证实的怀疑和恐惧会产生愤世嫉俗者。愤世嫉俗者抱怨现实，而成功者分析现实。"富爸爸解释说，埋怨使人头脑受蒙蔽，而分析使人心明眼亮。进行分析能使成功者看到那些愤世嫉俗者无法看到的东西，也能发现被其他人都忽视了的机会，而发现人们忽视了的机会的能力正是取得成功的关键。

对任何寻求财务独立或自由的人来说，房地产都是一个强有力的投资工具。可以说这是一种独一无二的投资工具。然而，每次当我提到房地产时，我经常听到人们说："我不想去修理厕所"。这就是林奇所说的"噪音"，也是我的富爸爸所说的愤世嫉俗者的说法，这种人只会批评抱怨，而不去分析现实。有些人宁可让顾虑和恐惧蒙蔽思想，也不愿睁开眼睛去观察现实。

因此当某人声称"我不想去修理厕所"时，我就反击说"谁跟你说过我想去"，他们似乎把修理厕所这件事看得比他们想要得到的东西更重要。我在谈论从"老鼠赛跑"中获得自由，他们却把注意力放在厕所上，这就是使人们生活贫穷的思维模式。他们总是批评而不是去分析，总是看到细节上的麻烦而看不到解决麻烦之后总体上的巨大收益。

"'我不想要'是成功的一个关键。"富爸爸这样说。

因为我也不想去修理厕所，我费了很大劲儿寻找了一位房产管理者为我代理厕所修理工作，因为找到了一位好的房产管理者来维修我的房子和公寓，我的这些资产项就会增值，这意味着我的现金流就会上升。更重要的是，一位好的房地产管理者是在房地产交易中成功的关键，能有助于我去买入更多的房地产，因为我不用去顾虑修理厕所了。因此对我来说，寻找一位好的房地产管理者比房地产本身更重要。此外，一位好的房地产管理者常常会打听到比在房地产经营机构听到过的更多的大额交易，这一点也有助于使我的房地产增值。

这就是我的富爸爸所说的"'我不想要'是成功的关键"的含义所在。因为我也不想去维修厕所，我才想出买更多的房地产和将自己从"老鼠赛跑"中解脱出来的办法。那些说"我不想去修理厕所"的人总是拒绝自己去使用这一强有力的投资工具，修厕所总比他们的自由更重要。

在股票市场上，我也经常听到人们说，"我不想有损失"。我不知道是什么使他们认为我或其他投资股市的人喜欢损失。他们不是去分析实际，而只是对另一种强有力的投资工具——股票市场不予理睬。

1996年12月，我驾车和一位朋友经过邻近地区的一座加油站。我的朋友看了看，发现油价上涨了。我的朋友总是忧心忡忡，他也是那种"小鸡"型的人，对他来说，天似乎总像要塌下来，而且通常是要压在他的头上。

当我们到家时，他给我列举了所有数据，以说明为什么在即将到来的几年里油价会趋于上涨。我以前从未读过这些数据，即使是我已拥有一家营运中的石油公司的主要股份后也是如此。根据这些信息，我立即开始寻找并找到了一家新的价值被低估了的石油公司，这家公司正在勘探新的地下石油储备，这使我的经纪人对这家新公司感到很兴奋。我后来买下了它的65%的股份，共1.5万股。

在1997年2月，还是这位朋友，驾车和我经过同一座加油站。的确没错，每加仑汽油的价格上升了几乎15%，这位忧心忡忡的人非常担忧并且不停地抱怨。我笑了，因为在1997年1月，那家小型石油公司找到了石油，自从他第一次给我分析了那些数据以后，我买下了1.5万股股票，现在每股价格已上升到3美元以上。如果我的朋友所说的是正确的话，石油价格还会持续上扬，我的收益还会增加。

他们心里的"小鸡"使他们不是去分析问题，而是封闭了自己的思想。如果大多数人懂得股票市场上"横盘"（预定低点抛售）意味着投资机会的话，就会有更多的人去投资以赢利而不是投资以避免损失。一次"横盘"就像一个计算机指令，当价格开始下跌时，自动出售你的股票，以帮助你使损失最小化、收益最大化。对于那些害怕受到损失的人来说，这是一个极好的工具。

因此，每当我听到人们执迷于自己的"我不想要"而不悟，不去注意他们所想要的东西时，我就知道他们脑子里的"噪音"一定很响。"小鸡"掌管了他们的思维，正在叫喊"天要塌下来了，厕所坏了"。于是，他们避开了自己的"不想要"，却为此付出了巨大的代价——他们可能将永远得不到自己在生活中想要的东西。

富爸爸教给我看待"小鸡"的一种方式，"要像桑德斯上校那样去做"。在桑德斯上校66岁的时候，他失去了所有的产业，开始靠社会保险金生活，而那点钱根本不够用，于是他走遍全国推销他的炸鸡方法。在他最终得到肯定回答之前，曾被拒绝1009次。然而通过不懈努力，他在大部分人打算放弃的年龄又开始了迈向百万富翁的道路。"他是一位勇敢、坚韧不拔的人"，富爸爸说的就是肯德基的创始人哈兰·桑德斯上校。

所以，如果你顾虑重重，感到有点儿害怕，不妨像桑德斯上校对待自己的"小鸡"那样去做："油炸"这只小鸡。

原因之三：懒惰。忙碌的人常常是最懒惰的人。我们听说过一位商人努力工作挣钱的故事，他努力工作希望为自己的妻子儿女提供更好的生活条件。他在办公室长时间地工作，在周末还把工作带回家去做。一天，他回到家，却发现人去楼空，他的妻子带着孩子离开了。他早就知道他和自己妻子之间有一些问题，可他却宁愿忙于工作，而不去改善双方的关系。可悲的是他在工作中的表现也滑坡了，最后他失去了这份工作。

我经常遇到那些过分忙于工作而不顾及到自己身体健康的人，原因是一样的：他们很忙，他们把忙碌工作当作逃避自己不想面对的一些问题的途径。没有人去告诉他们这些，他们把难题掩盖起来。事实上，假如你去提醒他们，他们还常常会感到不快。

如果他们并不忙于工作或与孩子在一起，他们常常会忙着看电视、钓鱼、打高尔夫球或者购物。总之，把问题掩盖起来使他们逃避了一些重要的事情。这是最普遍的一种懒惰形式，一种通过忙碌来表现的懒惰。

那么，什么能够治疗这种惰性呢？答案就是"贪婪"一点。

对于我们许多人来说，我们是在把贪婪或欲望看作坏事的环境中成长起来的。"贪婪的人都是坏人。"妈妈常常这样说。然而，我们的心里都在渴望着拥有那些美好、新奇或令人高兴的东西。因此，为了控制这种欲望，父母便常常想办法教导我们用负罪感来抑制这种欲望。

"你只考虑你自己，你难道不知道还有兄弟姐妹吗？"这是我妈妈常爱说的一句话。"你还想要我给你买什么？"我爸爸则爱说，"难道你认为我们是摇钱树吗？你认为钱是从树上掉下来的吗？你知道我们不是富人。"

还有许多这样的话，这些话影响了我和其他和我一样的孩子们。

还有另外一种父母，他们采取的方式是另一种极端，他们常会这样说："我牺牲自己的生活去买来这个给你，我给你买这个是因为在我小时候从未得到过这些东西。"我有一个邻居身无分文，但他的车库里却满是他孩子的玩具，以至于不能将车停进车库里。受溺爱的孩子们得到了他们要求的任何东西，"我不想让他们尝到贫困的滋味"是他每天都要说的话。他没有为孩子上大学或自己退休留下任何东西，可他的孩子却拥有市场上出售的每种玩具。他最近刚得到一张信用卡，就带上孩子去拉斯维加斯玩了。"我这么做全是为了孩子。"临走时他带着深深的自我牺牲的神情对我说。

在我看来，以上这两种父母常用的教育方式都不能培养孩子正确的金钱观念和投资意识。

富爸爸从不使用"我不能支付这个"这类的话。

在我自己的家里，这可是我常听到的。但富爸爸要求他的孩子们说："我怎样才能够支付这个？"他的理由是："我不能支付这个"这句话禁锢了你的思想，使你不再去作进一步的思考。"我怎样才能支付这个？"则开启了你的头脑，迫使你去思索并寻求答案。

但是最重要的是，他觉得"我不能支付这个"是一句谎言，他坚信人的精神能够做到一切。"人类的精神力量非常非常强大"，他常说，"你自己知道你能做成任何事情"。然而人的头脑中却总是有两个声音，积极的精神鼓励你去获得你想要的，而那个懒惰的思想却说："我不能支付这个"，两种思想在你的脑子里交锋，你的精神愤怒了，而你的懒惰思想就会为自己的谎言辩护。你的精神大叫道："来吧，让我们到健身房锻炼"，而懒惰思想会说，"可我太累了，我今天确实工作很辛苦。"你的精神会说，"我厌倦了贫穷的生活，让我们脱离这劳碌的生活而致富"，对此懒惰思想会说："富人们很贪婪，此外还很讨厌；这不安全，我可能会有损失；我要尽可能地努力工作，我有许多工作要做；看看我今晚必须做的事情，我的老板希望我明天早上之前干完这些。"

"我不能支付这个"带来的悲哀和无助会导致失望、冷漠以至意志消沉。"我怎样才能支付这个"则打开了充满可能性的快乐和梦想之门。因此，富爸爸并不太关心我实际上想要买的是什么，他只是想通过促使我们不断思索"我怎样才能支付这个"来创造一种更强有力的思想和更有活力的精神。

所以，他很少给我和迈克买任何东西，相反，他会问："你怎样才能买得起这个？"于是包括上大学，都是我们自己挣钱支付的。并不是目标本身，而是达到我们所期望的目标的这一过程，才是他真正希望我们去学习的东西。

我感到今天的问题是成千上万的人对自己的"贪婪"感到罪过，这是他们在少年时代就因袭到的陈旧思想。他们渴望拥有生活所提供的那些更美好的东西，但面对困难，大部分人却下意识地调整自己并借口说："你不能拥有这个"，或者"你可支付不起这个"。

那么，你怎样克服懒惰心理呢？答案是多一点点"贪婪"，要勇于去追求并得到自己所想要的生活。记得有家调频电台的心理节目里曾经提出"这里有什么是为我准备的"这种说法。在节目中，一个人坐下来需要问："如果我身体健康、性感、长相英俊，我还要做什么事？"或者"如果我不再工作，我的生活会是什么样？"或者"如果我拥有自己需要的所有的钱，那我将做什么？"用这样的方式来激发人们对美好生活的向往和追求。没有一点点"贪婪"，没有想拥有更好东西的渴望，就不会取得进步。世界之所以进步是因为我们都渴望过上更好的生活，新发明的产生也是因为我们渴望更好的东西，我们努力去学习也是因为我们想要更好的东西。因此，每当你发现自己在逃避你心里清楚应该去做的事情时，那么惟一要自问的是："这里有什么是我应该得到的？"稍稍"贪婪"一点，这是治愈懒惰的最好办法。

当然，就像任何事情都要有"度"一样，过于贪婪就不好了。但我们必须要改掉长期以来形成的一味压抑个人需要的社会意识，因为个人需要正是形成社会需求从而拉动经济，促进社会发展进步的根源。要记住迈克尔·道格拉斯在电影《华尔街》中所说的："欲望是好事"。富爸爸以另一种方式说："负罪感比欲望要糟，因为负罪感从身体里抢走了灵魂。"而对我来说，埃连娜·罗斯福说的好："做你心里认为正确的事——因为你不管怎么做总会受到批评。如果你做的话，会受到指责；而你不做的话，还是会受到指责。"

原因之四：习惯。我们的生活更多地反映我们的习惯而不是我们所受到的教育。上学时在看过明星阿诺德·施瓦辛格主演的电影《科南》以后，一位朋友说，"我多想拥有像施瓦辛格那样的身材"，大部分男生都点头表示同意。

"但我听说他实际上曾经很瘦弱。"另一位朋友补充说。

"是的，我也听说过，"另一位说道。"我听说他几乎每天都泡在健身房里。"

"没错，我敢打赌他不得不这样。"

"不是的，"那个崇拜者说，"我肯定他天生如此。算了吧，我们不可能练成他那样的体格，咱们别再谈论施瓦辛格了，来喝点啤酒吧。"

这是习惯控制行为的一个例子。我记得问到富爸爸有关富人的习惯问题，他没有直接回答我，他像往常一样希望我从实例中学习。

"你爸爸什么时候支付账单？"富爸爸问道。

"每月初。"我说。

"那支付完账单后他还有节余的钱吗？"他问。

"非常少。"我回答。

"这就是他苦苦挣扎的主要原因，"富爸爸说，"他有一些坏习惯。"

"你爸爸总是首先支付给其他人，最后才支付给自己，而且这还得看他有无剩余。"

"可他也不希望这样"，我说，"但他不得不按时支付账单，不是吗？你是说他不应该支付账单吗？"

"当然不是，"富爸爸说，"我坚持应该按时支付账单，不同的只是我会安排好，并且首先支付给我自己。"

"但是如果你没有足够的钱，"我问，"你会怎么办呢？"

"同样的办法，"富爸爸说，"我仍然首先支付自己，即使我缺钱。因为对我个人来说，我的资产项目比政府重要得多。"

"可是，"我说，"他们不会来找你的麻烦吗？"

"会的，如果你不支付的话，"富爸爸说，"但是你看，我并没有说不支付。我只是说首先支付给我自己，即便是我缺钱。"

"但是，"我又问，"你是怎样去做的呢？"

"不是怎样，而是'为什么'。"富爸爸说。

"那好，为什么？"

"动力，孩子，这完全是一个动力问题"富爸爸说，"如果我不支付我自己或者不支付我的贷款人，你认为谁抱怨的声音会更大些？"

"当然是你的贷款人会比你叫的更响。"一个显而易见的回答，"如果你不支付给自己的话，我想你什么也不会说。"

"所以你看，在我把仅有的钱先支付给自己后，要支付税款和其他贷款人的压力就会变得非常大，迫使我去寻求其他形式的收入，支付的压力成为我的动力。我会干额外的工作，开其他公司，在股票市场上买卖多几支股票以及去做任何可以使那些人不再向我叫喊的事。压力迫使我努力工作，迫使我去思考，最重要的是迫使我在钱的问题上更精明、更积极主动。然而如果我像你爸爸一样最后支付给自己，我就不会感到任何压力，但我一定会因此而破产。"

"你是说因为你欠了政府机构或其他人的债，所以你对他们的担心激励了你？"

"对，"富爸爸说，"你看，政府的征税者和其他的收账者一样需要面对，大部分人会向这种威势屈服，于是他们先支付这些账单却克服自己的需要。你听说过瘦弱的人被人欺付的故事吧？"

我点了点头。

"好的，大部分人让那些收账的人把沙子踢到他们脸上，而我决定利用对这种人的恐惧来使我变得更加强壮，这样做会使其他人变得更加虚弱。我迫使自己考虑如何挣到额外的钱就好比去健身房做负重练习，我思想上的'金钱肌肉'越发达，我就越强大。现在，我不再害怕这些人了。"

我喜欢富爸爸说的话。"所以，如果我也学会先支付我自己，我就会在财务上更强壮，噢，应该是在精神上和财务上都更加强壮。"

富爸爸点了点头。

"而如果我像我爸爸那样最后支付自己，或根本就不支付，我就会变得更加虚弱，那么我一生都会围着老板、经理、税务官员、收账员及地主们转，仅仅因为我没有良好的财务习惯。"

富爸爸点头称是，"就像体质虚弱的人一样。"

原因之五：傲慢。傲慢是无知的另一面。

"我的知识给我带来金钱，我所不知道的东西使我失去金钱。每次当我自高自大时，我真的相信我所不知道的东西并不重要。"富爸爸经常这样告诉我。

我发现许多人试图用傲慢来掩饰自己的无知，甚至当我同会计甚至其他投资者讨论财务报告时，这种事情也经常发生。

他们试图用自吹自播来赢得争论，而我很清楚，这是因为他们不懂自己在谈论什么。他们并没有撒谎，只是没有谈出真相。

在资金、金融和投资领域，有许多人完全不知道自己在谈论什么。财经行业的大部分人喜欢滔滔不绝地夸夸其谈，其实他们并没有什么真才实学。

如果你知道自己在某一问题上欠缺知识，不要试图掩饰，因为那是在欺骗你自己，你应该做的是去找一位这一领域的专家或者找一本有关这一问题的书，马上开始教育自己。

开始行动

第九章
开始行动

我希望我可以说，获得财富对我来说很容易，但是事实并非如此。

所以，当我被问到"应该怎样开始"这一类的问题时，我就提供自己日常的思维方式。我敢保证找到生意机会的确很容易，这就像骑自行车，刚开始还摇摇晃晃，但很快就会驾驭自如了。在关于金钱的问题上也是一样，最初的难关得由你自己去度过。

但是要找到一桩数百万美元的"关系一生的机会"，就需要唤醒我们自己的财务天赋了。我相信，我们每个人都拥有内在的理财天赋，问题是，这种理财天赋一直处于休眠状态。这种天赋处于休眠状态的原因，是因为我们的文化把对金钱的需要视为万恶之源，并把这种观念灌输给了我们，这种观念促使我们学习某种技能，并为金钱而工作，却没能教给我们如何让金钱来为我们而工作。我们被告知不必去担忧将来的财务状况，因为一旦我们退休了，公司或者政府会照顾我们。然而，现在在同样的学校体制下受教育的我们的孩子们，他们将来却有可能不再向公司和政府支付提供这种照顾所需要的钱。可现有的信息仍告诉我们努力工作，挣钱维生，当缺钱时，我们总能借到钱。

更不幸的是，90%的西方人认同这种教条，就是因为他们相信找一份工作并为钱工作要更容易一些。如果你不愿属于那90%，我向你建议采取十个步骤来唤醒你的理财天赋。如果你不想遵循，那就按你自己的方式来做，你的理财天赋足以让你无师自通。

在秘鲁，我问一位工作了45年的金矿工人，为什么他对找到一座新的金矿充满信心。他回答说："金矿到处都是，但大部分人没有经过相应的培训来发现金矿。"

我认为这话是正确的。如房地产，我出去跑一天就能发现四五桩潜在的大生意，而一般人出去即使只是在同一邻近地区，也往往会空手而归。那是为什么呢？那是因为他们没有花时间来开发自己的理财天赋。

我建议你采取以下十个步骤来开发上帝赐予你的才能，这种才能只有你才能控制：

1. **我需要一个超现实的理由**：精神的力量。如果你问别人是否愿意致富或者获得财务上的自由，大部人会说"愿意"。可是一想到现实，前进的道路似乎就变得很漫长而崎岖，相比之下，为了钱工作并把剩余的钱托付给经纪人看管似乎要更容易一些。

我曾经遇到一位梦想参加美国奥林匹克游泳队的女运动员。为此，她不得不每天早上四点起床，游泳三个小时，然后去上学。她在周末也不和朋友们开晚会，而且她还必须拿出时间去复习功课以保持学习进度。

当我问是什么力量驱使她以超人的雄心和牺牲精神这么做时，她只是说："我这样做是为了自己以及我所爱的人们，是爱的力量使我以牺牲精神去克服重重困难。"

这一原因或目的是"想要"和"不想要"的结合体。当人们问我想要致富的原因是什么，我就说这是感情上"想要"和"不想要"的结合。

我可以列举一些首先是"不想要"而由此产生了"想要"的例子。我不想一生都工作；我不想要父辈们渴望的那些东西，如工作稳定、拥有一套郊区房子；我不想做一个打工仔；我讨厌父亲因为忙于工作而总是错过我的足球比赛；我讨厌父亲终身努力工作在他去世时却还有未付的账单。而富人不会那样做，他们会努力工作，然后将工作成果交给后人。

其次是"想要"。我想自由自在地周游世界；我想以自己喜欢的方式生活；我想在自己年轻的时候就能做到这些；我想自由自在地支配自己的时间和生活；我想要金钱为我而工作。

这些就是我发自内心深处的精神动力。你是什么样的人呢？如果你不够坚强，那么前行道路上的严酷现实就会迫使你退缩。我曾失败过多次，但每次都是这种深层的精神动力使我爬起来继续前进。我想在 40 岁时就能达到财务上的自由，但是一直到 47 岁，在我经历了许多学习和磨练后才真正实现了目标。

当我谈及这一点时，我希望能谈得轻松些，但这真的不轻松，可并非很难做到。我的建议是，给自己一个强有力的理由或目标。若非如此，你在生活中会感到步履维艰。

2. 每天作出自己的选择： 选择的力量，这是人们希望生活在一个自由国度的主要原因。我们需要有作出选择的权力。

从财务上来说，我们每挣到一个美元，就得到了一次选择自己的将来是富裕、贫穷还是一般的机会。我们用钱的习惯反映了我们是什么类型的人，有的人之所以贫穷是因为他们有着不良的用钱习惯。

作为一个孩子的好处就是我可以一直玩"大富翁"游戏。但是因为没有谁跟我说过"大富翁"只有孩子才能玩，所以成年后我仍然爱玩这个游戏。富爸爸曾经通过游戏给我指出资产和负债之间的差别，所以当我还是一个小孩子时，我就选择要成为游戏中那样的富人，而且我知道自己所要做的就是学会像游戏中那样不断地进行投资，去获取更多资产——真正的资产。我最好的朋友迈克接管了他父亲的资产，但他仍要学会管理资产。许多富裕家庭之所以"富不过三代"，就是因为他们没有培养出一位内行的人来管理他们的资产。

　　大部分人不会选择成为富人，对于 90% 的人来说，做一个富人会有"太多烦扰"，所以他们就说，"我对金钱不感兴趣"，或者"我不想成为富人"，抑或"我不用担心，我还年轻"、"等我开始挣钱时，再考虑将来"，或者"我爱人掌握财权"等等。这些说法存在着一个共同的问题就是阻碍人们选择去思考这样两件事情：第一是时间，这是你最珍贵的资产；第二则是学习，因为你没有钱，你更要去学习。事实上我们每天都应该进行一个选择：即选择如何利用自己的时间、自己的金钱以及我们头脑里所学到的东西去实现我们的目标，这就是选择的力量。我们都有机会，我选择要做一个富人，我每天都在为我的选择而努力。

　　首先投资于教育。实际上，当你还是一个穷人时，你所拥有的惟一真正的资产就是你的头脑，这是我们所控制的最强有力的工具。就像我说的选择的力量那样，当我们逐渐长大时，每个人都要选择向自己的大脑里注入些什么样的知识。你可以整天看电视，也可以阅读高尔夫球杂志、上陶艺辅导班或者上财务计划培训班，你可以进行选择。在投资方面，大部分人选择的是直接投资于某种项目，而不是首先投资于学习自己所要投资项目的有关知识。

　　我有一位朋友是个很富有的女士，最近她的公寓失窃了，小偷拿走了她的电视机、录像机，却留下了她阅读的所有书籍。我们大概也会作出类似的选择，90% 的人会购买电视机，只有大约 10% 的人才会购买商业及投资方面的书籍或录音带。

　　那么，我是怎么做的呢？我去参加研讨会。我喜欢那种至少两天的研讨会，因为这样我就能够静下心来研究某一专题。1973年，我在电视上看到有人做广告，举办一个三天的研讨班，讨论如何在不支付任何首期付款的情况下购买房地产。参加这个班只花了我 385 美元，却帮助我挣回至少 200 万美元。更为重要的是，它为我创造了新的生活，正是由于这一课程，我在以后的岁月里不必再为了生计而辛苦工作。我每年至少要参加两次这样的培训。

　　我喜欢听录音带，原因是录音带可以快速重放。我曾经听过彼得·林奇的一盘录音带，里面有一段话我完全不同意。但是，我并没有因此而妄自尊大，而是按"重放"键把这一段5分钟的话听了至少20遍，也许更多遍。忽然之间，我打开了自己的思路，懂得了他说的那些话的道理。这简直就像魔术一样，我感到如同打开了一扇通向我们这个时代最伟大的投资家之一的思想之窗。由此我得以深入认识和理解他那博大精深的学识和经验，从中获得了巨大的教益。

最直接的结果是：我仍然保留住了自己过去思考问题的习惯方式，同时又学到了彼得·林奇分析同一问题或形势的思考方式。我拥有了两条思路，而不仅仅是一条，能够有不止一条的思路来分析某个问题或趋势，这实在难能可贵。今天我常常会问自己，"这件事彼得·林奇会怎样做？或者唐纳德·特拉姆、沃伦·巴菲特、乔治·索罗斯会怎么做？"我得以进入他们深邃思想的惟一途径就是非常谦虚地阅读或倾听他们所说过的那些话。傲慢自大或吹毛求疵的人往往是缺乏自信而不敢冒风险的人。如果你想学习某些新东西，那么你就需要犯些错误，只有这样才能充分理解你所学习的知识。

如果你能读到这里，你就不存在傲慢自大的问题，因为傲慢的人很少读书或买磁带。为什么？因为他们自以为是宇宙的中心。

当某种新思想否定旧有的思维方式时，有许多"聪明"人会本能地为自己辩护。在这种情况下，他们所谓的"聪明"和"傲慢"合在一起就等同于"无知"。我们中有许多人受过高等教育，相信他们也很聪明，但是他们的资产负债表却是一塌糊涂。一个真正聪明的人欢迎新思想，因为新思想能够增加已日积月累的思想库中的内容。听比说更重要，否则，上帝就不会给我们安排两只耳朵，却只安排一张嘴巴了。有太多的人爱说而不爱听，这样就等于放弃了吸收更多新思想和可能性的机会，他们爱争论问题而不是提出问题并倾听别人的见解。

我愿意以长远的眼光来看待我的财富，我并不相信那些买彩票的人或赌博者"快速致富"的观念。我可能会做短期股票买卖，但从长远考虑我更重视教育。如果你想驾驶飞机，我建议你首先去听有关飞行原理的课程而不是直接坐进驾驶舱。有的人投资于股票或房地产，却从不投资于他们最重要的资产——头脑，对此我常常感到震惊。因为，你买一两套房地产并不能让你成为房地产方面的专家。

3. **慎重地选择朋友**：关系的力量。首先，我不会把财务状况作为挑选朋友的标准。我既有穷困潦倒的朋友，也有家财万贯的朋友，因为我相信"三人行，必有我师"，而我也愿意努力地去向他们每个人学习。

但我要承认我确实会特意交一些有钱的朋友，我的目标不是他们拥有的钱财，而是他们致富的知识。在很多情况下，这些有钱人会成为我的亲密朋友，当然，也不尽然。

我想，穷朋友和富朋友都同样是我的老师。我会注意我的有钱朋友是如何谈论金钱的（我不是指财富），他们对这个话题感兴趣。这样，通过交谈我向他们学习，他们也向我学习。我的另一些朋友经济上很困难，他们不爱谈论金钱、商务或投资，他们常常认为这很粗鲁或不明智。但我也能从他们那里学到许多别的知识，我可以从中懂得什么东西不可以去做。

我有几个朋友，他们在不长的时间里创造了数十亿美元的财富。他们中间有三位和我谈到过同样的现象：他们那些没钱的朋友从不去向他们请教是怎样赚到钱的。可是他们往往会去要求一种或两种东西：一是贷款，二是工作。

注意：不要听胆小的人说的话。我有这样的朋友，我非常喜欢他们，但他们过的是"小鸡"式的生活。一旦涉及到金钱，特别是投资时，"天就要塌下来了"，他们总是会告诉你一件事为什么不行。问题是如果人们听了他们的话，盲目地接受这种杞人忧天的信息，你最终也会成为"小鸡"式的人物。就像一句古老的谚语所说的："小鸡的毛都是一样的"。

哥伦比亚全国广播公司的节目有很多有关投资方面信息的栏

目。如果你看过他们的节目，通常会见到一帮所谓的"专家"在争吵。一位专家会说市场正在走向衰退，而另一位则声称市场正在趋于繁荣。如果你很精明，两方的话你都要听，保持一种开放的心态，因为两种说法都有合理的地方。不幸的是，大部分穷人只都听从"小鸡"式的观点。

我有许多亲密朋友试图劝说我不要去做某一项交易或投资。几年前，一位朋友告诉我，他非常高兴，因为他发现了一份利率为6%的大额存单。我告诉他我从州政府获得的投资回报是16%。第二天，他送给我一篇文章说明我的投资是危险的。而现在这么多年过去了，我一直获取每年16%的投资回报，而他却依然只能得到6%。

我想说，在积累财富的过程中，最困难的事情莫过于坚持自己的选择而不盲目从众。因为在竞争激烈的市场上，群体有时会意味着反映迟钝而被"宰割"。如果一项大交易被列在投资杂志的头一页，在多数情况下此刻去做这种交易恐怕为时已晚，这时，你应该去寻找新的机会了。就像我们通常所说的那样："还会有另一拨"。人们总是匆匆忙忙去赶已经过去的那一拨时，往往又会被新的一拨淘汰出局。

精明的投资者不会抱怨市场时机不对，如果错过了这一拨，他们就会去寻找下一个机会，并且在其中找到自己的位置。对大多数投资者来说，做到这一点之所以非常困难，是因为一旦他们买入的东西不那么流行，他们就会感到害怕。胆小的投资者总是亦步亦趋地跟在众人后面，当欲望终于驱使他们冒险投资时，精明的投资者此刻已经获利退出了。明智的投资者往往购买一项不太流行的投资，他们懂得盈利是在购买时就已获得，而不是在出售时获得的，他们会耐心地等待时机实现投资增值。正如我所说，他们并不计较市场时机，就像一位冲浪者，他们时刻等待着下一个大浪来将他们高高托起。

到处都有"内部人交易"。有些形式的内部人交易是非法的，而有些形式的内部人交易是合法的。但不管怎样，它们都属于内部人交易。惟一的区别在于你离内幕到底有多近。你可以有接近内幕的富裕朋友，因为钱就是由"内幕信息"挣来的，这样你就能在繁荣之前买进，并在危机之前卖出。我不是说非法地去做，但是，信息得到得越早，获利的机会就越大，风险就会越小，这就是朋友的作用。这也是一种财商。

4. **掌握一种模式，然后再学习一种新的模式：**快速学习的力量。面包师做面包要遵循某种配方，即使这种配方只是记在脑子里。挣钱也是一样的道理，这也是金钱有时被称作"面包圈"的原因。

我们大都听说过这样一句谚语："你吃的是你自己。"我有一句意义相近但说法不同的话："你学习什么，就会成为什么样的人"。也就是说，你得注意你所要学习的内容，因为你的精神力量非常强大，你学到了什么，就会成为什么样的人。例如，你学习烹饪，你就会去做烹饪，然后就成为一名厨师。如果你不想再做厨师，那你就要学习其他东西，比如说学些师范课程成为一名学校教师。所以，一定要仔细挑选自己学习的内容。

在钱的问题上，大多数人一般只知道一个基本的挣钱公式，这个公式是他们从学校学来的，就是为了金钱而工作。在我看来，这个公式是在全世界占支配地位的一个公式：千百万人每天起床，上班，挣钱，支付账单，平衡支票簿，购买共同基金，然后再回去工作。这是一个普遍的、基本的公式或配方。

如果你对自己所做工作感到厌倦且挣钱又不够多，那么很简单，这正是你改变自己挣钱公式的时候了。多年前，当我26岁时，我参加了一个周末班，内容是"如何购买破产房地产"。在那里我学到了一个公式并开始试着将我所学到的规则付诸实施，而这一步正是许多人没能做到的事情。在为施乐公司工作的三年中，我用业余时间学习并掌握了购买破产财产的技巧，运用这个公式，我赚取了数百万美元。但是过了一段时间，这个公式变得不那么好用了，因为开始有其他许多人也在这样做了。

因此，我又开始寻找其他的公式。对于许多我参加过的短期培训班来说，或许我并没有直接使用过所学到的信息，但我还是从中学习到许多新的东西。

我曾经参加过专门为金融衍生工具交易商举办的辅导班，也参加过为商品期权交易商举办的辅导班和为初学者举办的学习班。我还远离自己的职业领域，与许多核物理学和空间科学方面的学者一起讨论问题。尽管我不会去搞核电站或航天飞机，但我从中了解到的新知识和新机会却使我的股票和房地产投资更加丰富和有利可图。

大部分专科大学和社区大学都设有财务计划和传统投资方面的辅导班，这是非常好的起步时的去处。

我总是在寻找赚钱更迅速的公式，这就是为什么在条件差不多的情况下，我每天所挣的钱总是比许多人在一生当中所挣的钱还要多。

补充说一句，在今天这个快速变化的世界中，并不要求你去学太多的东西，因为当你学到时往往已经过时了，问题在于你学得有多快，也就是我前面所说的要具备快速学习的能力，这种技能是无价之宝。如果你想赚到钱，寻找一条捷径是非常关键的。为金钱而工作是人类在穴居时代产生的一个公式，它早已过时了。

5. **首先支付自己**：自律的力量。如果说你不能控制自己，就别想着能致富。你可能首先想通过加入海军特种部队或宗教团体来约束自己，但我相信这样做对于投资、挣钱和花钱来说毫无意义。正是因为缺乏自律，大部分彩票中奖者在赢得数百万美元后很快就破产了。也正是由于缺乏自律，人们得到提薪后立即出去购买新车或去乘船旅游，其结果是生活比提薪前显得更加窘困。

很难说这十个步骤中哪一个最重要，但对于所有这些步骤来说，第五个步骤是最难以掌握的，如果它不是你习惯于去做的事情的话。我要冒昧说一句：是否缺乏自律是将富人、穷人和中产阶级区分开来的首要因素。

简单地说，那些不太自信、对财务压力忍耐性差的人永远不会成为富人。正如我说过的那样，我从富爸爸那里学到了一条经验："生活推着你转"。生活之所以推着你转，不是因为驱使你的人很厉害，而是因为你个人缺乏自我控制和纪律性。那些缺乏内在坚毅的人往往会成为那些自律性很强的人的牺牲品。

在我教过的企业家培训班中，我经常提醒人们，不要仅将自己的注意力集中于自己的产品、服务或生产设备，而是要集中于开发管理才能。开创你自己的事业所必备的最重要的三种管理技能是：

1. 现金流量管理；
2. 人事管理；
3. 个人时间管理。

我想说，这三项管理技能不仅适用于企业，而且适用于任何事情。比如，你对自己日常生活的管理或对家庭、企业、慈善组织、城市及国家等的管理。

自律精神可以增强上述的任何一项技能。我非常重视"首先支付自己"这句话。

"首先支付自己"这句话出自乔治·克拉森写的《巴比伦最富有的人》一书。这本书卖出了数百万册，数百万的人熟练地重复这句话，却鲜有人遵循这一建议。我说过，财务知识使人能够读懂数字以及看懂数字背后所发生的事情。通过一个人的损益表和资产负债表，我可以很容易地看出一个人是否将嘴边念叨着的"首先支付自己"这句话付诸了实施。

百闻不如一见。让我们再来比较一下遵循"首先支付自己"与遵循"先支付别人"这两种人的财务报表的区别。

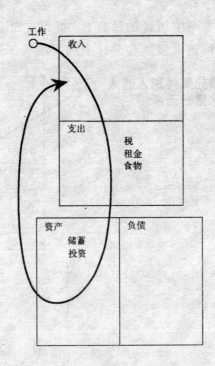

首先支付
自己的人

研究一下这两张图表，看看你能不能找出一些区别。当然，你首先必须懂得现金流量的含义，它说明的是经济事项的内容。大部分人看着数字本身，却忽略了数字所反映的经济内容。如果你确实能够开始懂得现金流量的力量，你就能很快发现第二幅图存在的问题了，你也能明白何以 90％以上的人一辈子辛勤工作，到了晚年无法继续工作时，却不得不依赖政府提供的支持，如社会保障等。

而第一张图却反映了一个选择"首先支付自己"的人的典型行为方式，在支付每月支出之前，他们总是先将钱安排在自己的资产项目上。虽然数以百万计的人们读过克拉森的书，也理解他所说的"首先支付自己"这句话的含义，而在现实生活中他们还是最后才支付给自己。

此刻，我能听到那些并不相信应该"首先支付自己"的人在嘲笑我，我也可以听到所有按时支付账单的"负责任的"人的笑声。其实，我不是说要人们不负责任、不付账单，我所说的只是要像那本书中所说的那样："首先支付自己"。前一页上的那幅图就是这种正确做法在会计上的反映，下面这一幅则不同。

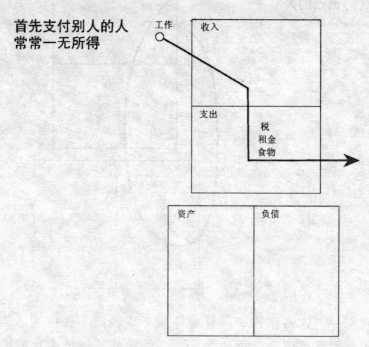

我和我妻子的许多簿记员、会计师和银行家对我们看待"首先支付自己"这句话的态度抱有很大的疑问。究其原因，实在是因为这些财务专家在实际生活中也同大多数人一样，最后才支付给自己，他们首先支付给其他所有的人。

在过去的生活当中曾有过数月，出于种种原因，我的现金流量远低于应付账单的数额，但我仍然首先支付给自己，首先去满足我个人资产项下的需求。我的会计师和簿记员感到非常吃惊，"他们会找你讨债的，国内收入署会把你投入监狱的"、"你这样做是在毁掉自己的信用级别"、"他们会切断电源"，我不为所动，继续首先支付自己。

"为什么呢？"你会问，因为《巴比伦最富有的人》一书中所讲的一切，因为自律的力量和内在坚毅的力量，用通俗一点的话说，那就是"胆量"。在我为富爸爸工作的第一个月里，他教我认识到大部分人是如何接受外界驱使的。一位讨债人打电话来请你"支付"，所以你就支付给他而不支付给自己。你的房地产代理人告诉你"接着干——政府会给你的房子以税收减免"，于是你就相信了他。这本书真正的目的是要告诉你：有胆量不随大溜才能致富。你可能并不是一个软弱的人，但是一旦涉及到金钱，许多人往往会怯懦起来。

我不是在提倡不负责任的做法，我没有高额信用卡债务以及消费债务的原因，是我想首先支付自己。我减少自己收入的原因是我不想让政府从中拿走太多，就像你们中的一些人看过的录像片《富人的秘密》中反映的那样，但我或许会通过一家内华达的企业从我的资产项目中来获取收入。因为如果我为金钱而工作，政府就会拿走相当一部分。

我最后才支付账单，但我却能靠足够的财商来度过财务难关。我不喜欢负债消费，而我确实拥有比绝大多数人都要高的负债，只是我从不支付它们：自有其他人来为我支付，他们被称为房客。因此第一条法则"首先支付自己"不会使你一下子陷入债务。我的确是最后才支付账单，支付一些少量的、无足轻重的账单。

其次，当我偶尔资金短缺时，我仍然首先支付自己。我宁愿让债权人和政府高声喊叫，他们越着急我越高兴。为什么？因为这些人在为我摇旗呐喊，他们在激励我出去挣更多的钱。因此我首先支付自己，进行投资，然后让债权人大喊大叫，但我都会清偿债务，我和我妻子都有着良好的信用，我们不会陷入债务危机，或靠动用储蓄、卖出股票来偿付消费债务，因为这样做在财务上就太不明智了。

所以，答案就是：

1. 不要背上数额过大的债务包袱。要使自己的支出保持低水平。首先增加自己的资产，然后，再用自己的资产中产生的现金流购买大房子或好车子。陷在"老鼠赛跑"中不是明智的选择。

2. 当你资金短缺时，去承受外在压力而不要动用你的储蓄或投资，利用这种压力来激发你的财务天赋，想出新办法挣到更多的钱，然后再支付账单。这样做，不但能提高你赚钱的能力，还能提高你的财商。

许多次我曾陷入财务困境中，但通过动脑筋想办法反而创造出更多的收入，我坚定地维护了我资产的安全和完整。我的簿记员会不知所措，急忙还债，可我就像一位坚强的战士一样坚守着城堡——我的资产堡垒。

穷人有不好的习惯，一个普遍的坏习惯是随便"动用储蓄"。富人知道储蓄只能用于创造更多的钱，而不是用来支付账单。

我知道这样说听起来很刺耳，但是正如我说过的那样，如果你意志不够坚定，那么无论如何，你只能让世界推着你转。

你如果不喜欢财务压力，那就找一个适合你的公式，例如减少支出，把钱存在银行，支付超过正常水平的所得税，购买安全的共同基金，按照一般人的做法行事。可是这样就违背了"首先支付自己"的原则。

这一原则不鼓励自我牺牲或财务紧缩，它并不意味着首先支付自己然后挨饿。生活应当是快乐的，如果你唤醒自己的财务天赋，你就有机会拥有很多人生中美好的东西：致富并不以牺牲舒适生活为代价地支付账单。这就是财商。

6. **给你的经纪人以优厚报酬**：好建议的力量。我经常看到人们在自己的房子前面插上一块牌子，上书："房主直接出售，中介免谈"，或者像今天我从电视中听到的话："对经纪人的话要打折扣"。

我的富爸爸教我采取与这些人相反的做法。他坚持给予专业人士以优厚报酬，而我也采纳了这一政策。今天，我雇有身价昂贵的律师、会计师、房地产经纪人以及股票经纪人。为什么要这样做呢？因为我认为，如果他们是专业人才的话，他们的服务就会为你创造财富，而且他们创造的财富越多，我挣到的钱也越多。

我们生活在信息时代，信息是无价的。一位好的经纪人应该给你提供信息，同时还应花时间来教育你。我有几位经纪人愿意为我这样做，有些人在我没钱或钱很少的时候仍在教我，所以我今天也一直任用他们。

我付给经纪人的钱同我根据他们提供信息而赚得的钱相比，只是一小部分。我乐意见到我的房地产经纪人或股票经纪人赚到很多的钱，因为这通常意味着我也赚到了很多的钱。

一位好的经纪人不仅为我赚来了钱，而且还为我节省了时间。这样，当我以9000美元购得一块闲置地皮然后立即转手以2.5万美元卖出的同时，我还能很快去买一辆保时捷。

经纪人是你在市场上的"眼睛"和"耳朵"，他们代替我整天密切注视着市场，而我可以去打高尔夫球。

此外，直接出售自己房子的人也很难足额估计自己房产的价值，既然如此，为什么不花一点小钱，用它来换回时间去挣更多的钱呢？我感到奇怪的是，许许多多的穷人和中产阶级宁愿为餐馆糟糕的服务支付15%～20%的小费，却抱怨支付给经纪人3%～7%的佣金。他们在费用支出项目上慷慨地支付小费，却在资产项目上对人极为吝啬，这样做在财务上显然是不明智的。

但也须指出的是：每个经纪人的能力是不一样的，不幸的是，大部分经纪人仅仅是推销员而已，尤其是某些房地产经纪人。他们卖房产，可他们自己却只拥有极少房地产甚至根本就没有房产。要知道一个出售房子的经纪人与一个出售投资项目的经纪人之间有天壤之别，对那些自称为财务计划专家的股票经纪人、债券经纪人、共同基金经纪人和保险经纪人来说也是一样。盲目使用不称职的经济人就如同童话故事里所讲得那样，你要吻许多只青蛙来寻找一位王子。记住那句古老的格言："如果你需要一本百科全书，千万别找百科全书推销员。"

当我同任何提供有偿服务的专家见面时，我首先要弄清楚他们个人到底拥有多少财产或股票以及他们支付税收的比例是多少，这种做法也适用于我的税务师以及我的会计师。我有一位会计师，她十分关心自己的产业，她的职业是会计，可是她的产业是房地产。我也曾经雇用过一位小企业会计师，但他没有房地产，最终我解雇了他，因为我们感兴趣的领域不一样。

要找一位对你的利益很关心的经纪人。许多经纪人会花时间来教育你，那么他们可能是你找到的最好的资产。你公平地对待他们，他们大多会公平地对待你。如果你总是琢磨着减少付给他们的佣金，那么他们凭什么愿意尽力为你的利益服务呢？这是很简单的逻辑。

我曾经说过，人事管理是重要的管理技能之一。许多人只会管理没有自己聪明的人或者没有自己能力强的人，比如工作中的下属。许多中层管理人员一直停留在中级管理层而得不到提升，就是因为他们只知道如何同职位低于自己的人一道工作，却不善于同比自己职位高的人一道工作。真正的技能是能够管理在某些技术领域比你更聪明的人并给他们以优厚的报酬。这也是公司拥有一个顾问委员会的原因，你应该有这种顾问，而这也是你的财商。

7. **做一个"印第安给予者"**：无私的力量。当第一批白人定居者抵达美洲时，他们对印第安人的文化习惯感到惊讶和不适应。例如，当看到一个白人很冷时，印第安人会给那人一条毯子，可白人定居者误以为这是一份礼物，因此当印第安人要回毯子时，他们感到十分不快。

印第安人也会感到失望，因为他们发现白人定居者无意归还自己的毛毯。这就是"印第安给予者"一语的由来，代表一种简单的文化误解。

在"资产项目"领域，做一个"印第安给予者"对于取得财富来说十分重要。一位老练的投资者的首要问题是："需要多快才能收回我的投资？"他们想确定自己的投资能得到的回报，这就是投资回报率为什么重要的原因。

例如，我发现一处已没收的抵押品就在我家附近几个街区。银行要价6万美元，我出价5万美元，他们接受了，原因仅仅是出价的条件之一是开出 5 万美元 的现金支票。他们意识到我是认真的。大部分投资者会说，你这不是冻结了一大笔现金吗？申请一笔贷款不是更好吗？答案是：有道理，但不适用于这一案例。我的投资公司使用这处资产在冬季作为度假出租屋。当那些"雪鸟"（指那些冬季到南方度假的北方人）来到亚利桑那州时，这所房子每年可有四个月能以每月 2500 美元的价格租出。在淡季则以每月 1000 美元的价格出租。用了大约三年时间，我收回了投资。现在我依旧拥有这笔资产，并且它每个月都能给我创造现金流入。

在股票市场上我也这样做。经常地，我的经纪人会打电话给我，建议我动用一笔数额可观的资金，用来购买他认为会有上涨行情的公司股票，比如拥有某种新产品的公司的股票。于是，我会在股票上涨前的一周到一个月期间将资金调入，赢利后，我便抽回投入的初始资金，并不再担心此后市场的波动，因为我投入的初始资金已经收回，并又投资于其他资产了。我的资金通过投入又收回，使我拥有了一笔从技术上来说是无偿取得的资产。

确实，在许多情况下我曾损失过资金，但我总是能负担得起损失的资金。我想，在平均每十项投资中，我会有 2～3 项赢利，同时 5～6 项不赚不赔，2～3 项亏本。但是我会将自己可能发生的损失限制在那个时期我所拥有的资金量这一范围内。

对于那些讨厌风险的人来说，他们把钱存在银行里。从长远来看，有储蓄总比没有好。但是，这样做需要花很长时间才能收回资金，而且在大部分情况下，你不会平白得到一些东西。

在我的每一次投资中，必有一些投资是没有什么盈利的，比如一项共同管辖权利，一处小型货栈，一片土地，一处房子，股票份额，写字楼等，这些项目的风险很低。其原因在一些书籍中专门讲到，我就在这里不予展开了。这就像雷·克罗克，以麦当劳而出名，他出让汉堡包特许经营权并不是因为他喜欢汉堡包，而是因为他希望出让特许经营权后房地产能够升值。

因此明智的投资者必定不光看到投资回报率，而且还要看到一旦收回投资，你因此所拥有的资产就如同白得。这也是财商。

8. 资产用来购买奢侈品：集中的力量。一位朋友的孩子养成了乱花钱的坏毛病，刚16岁他就很自然地想拥有自己的汽车，理由是：他所有的朋友都从父母那里得到了汽车。儿子想动用他上大学的储蓄作为首期付款买辆汽车，于是他父亲就从办公室给我打来电话。

"你认为我应该允许他这样做吗？或者我应该像其他父母那样就给他买一辆汽车？"

对此我回答说："从短期来看这样做可能减轻你的精神压力，但从长远来看这样做会教给他什么呢？你能不能利用他这种希望拥有一辆汽车的欲望来激励你儿子去学点东西呢？"我朋友心里豁然一亮，赶忙回家了。

两个月后，我再次遇到这位朋友。"你儿子拥有了自己的汽车吗？"我问。

"不，他没有。但我给了他3000美元，我告诉他可以使用我的钱而不能动用他上大学的钱。"

"啊，你很慷慨呀！"我说。

"也不是，这笔钱只是作为一个绳套。我接受了你的建议，利用他这种想拥有一辆汽车的强烈愿望，促使他能够学到一些东西。"

"那么，绳套是什么？"我问。

"首先，我们玩了一次你的'现金流'游戏，然后我们就如何明智地使用金钱的问题进行了一次长谈。之后我给了他一张《华尔街日报》的订阅单，以及一些关于股票市场的书籍。"

"接下来呢？"我问，"你的方法是什么呢？"

"我告诉他这3000美元归他所有了，但他不能直接用它来购买汽车，他可以用这笔钱来买卖股票，也可以寻找他自己的股票经纪人。而一旦他把这3000美元增值到6000美元，就可以用挣到的3000美元去买汽车，而我当初给他的3000美元仍要用在他上大学的支出上。"

"那么，结果怎么样?"我问。

"开始在交易中他很幸运，但几天之后他就把挣到的钱全赔光了，接下来他真正开始感兴趣了。今天，我想他可能已经损失了 2000 美元，但他的兴趣更大了，不仅读完了我买给他的所有书籍，还到图书馆去阅读更多的书。他如饥似渴地阅读《华尔街日报》，关注市场指标，看哥伦比亚全国广播公司的节目而不是从前爱看的音乐电视。现在他只剩下 1000 美元了，但他的兴趣和学习劲头冲天。他知道如果自己赔光了那笔钱，他就不得不再多步行两年，可他似乎并不在意这些了，他甚至看起来对获得一辆汽车也不那么感兴趣了，因为他发现了一项更有趣的游戏。"

"要是他赔光了所有的钱怎么办?"我问道。

"如果碰到难关，那就得跨过去。我宁可他现在赔掉一切而不愿等到他像我们这样的年龄时再去冒险赔光一切。而且，我想这是我用于教育他的所有钱中效果最好的 3000 美元，他从中学到的知识将使他受益终身。他还似乎对金钱的获得和力量产生了新的尊重，我想他不会再大手大脚花钱了。"

在"首先支付你自己"一节中，我说到如果一个人没有自律的能力，最好别想着去致富。因为从理论上来讲，一项资产产生现金流量的过程是容易的，但是拥有控制金钱的坚强意志却是困难的。由于种种外在的诱惑，在今天的消费者世界里，在支出项目上挥霍金钱更加容易。因为意志薄弱，金钱的流出简直会无遮无拦，这就是大多数人贫困和财务困窘的原因。

我在此给出了有关财商的数字例子，在这一例子中控制金钱的能力就是以钱生钱的能力。

假设我们在年初给 100 个人每人 1 万美元，我想到了年底会出现这样的情况：

有 80 人会分文不剩。事实上，许多人可能会通过支付首期付款来购买一辆新车、一台电冰箱、电视机、录像机或去度假，从而背上很重的债务。

有 16 人会将这 1 万美元增值 5%～10%。

有 4 人会将这 1 万美元增值到 2 万美元至数百万美元。

我们上学去学习某种技能专长，这样我们可以为金钱而工作，但我的观点是：学会让金钱为你工作更加重要。

和其他人一样，我也喜欢奢侈品，差别在于有些人贷款购买奢侈品并掉入一个相互攀比的陷阱，而当我想买一辆保时捷车时，最简单的方法可能也是让我的银行家提供一笔贷款，但实际上我不会这么做，我选择的是集中资源于资产项而不是负债项目。

作为一种习惯，我用自己希望消费的欲望来激发并利用我的财务天赋去进行投资。

今天，我们常常是借钱来获得我们想要的某种东西，而不是把注意力集中在为自己创造金钱上。这样做在短期来看很容易，但长期来看却会产生问题。不论是个人还是国家，这都是一种坏习惯。记住，最容易的道路往往会越走越艰难，而艰难的道路往往会越走越轻松。

你能越早训练自己和自己所爱的人成为金钱的主人，结果就会越好。金钱是一种强有力的力量，不幸的是，大多数人们用金钱的力量来对付自己。如果你的财商很低，金钱就会比你更精明，它会从你身上溜走。如果你没有金钱精明，你就将为之工作一生。

要成为金钱的主人，你需要比金钱更精明，然后，金钱才能按你的要求办事，服从你，这样你就成了金钱的主人，而不是它的奴隶。这就是财商。

9. **对英雄的崇拜：**神话的力量。少年时代，我非常崇拜威利·梅斯、汉克·阿龙、约吉·贝拉，他们是我心目中的英雄。作为青少年棒球联赛的参加者，我希望自己能像他们那样。我珍藏着他们的球星卡，我想知道与他们有关的一切。我知道他们的平均击球得分，他们挣多少钱，以及他们是怎样在少年棒球联赛上崭露头角的。

　　在我 9 到 10 岁的时候，每次当我上场击球或打第一垒或充当接球手时，我便不再是我自己，我成了约吉或者汉克，这是我学到的最有力量的方法之一。但当我们长大成人后，却失去这种能力，我们失去了心目中的英雄，我们失去了过去的天真。

　　今天，我看到年轻的小伙子们在我家附近打篮球。在庭院里他们不再是小约翰尼，他们是迈克尔·乔丹、奥尼尔和约翰逊。模仿或赶超大英雄确实是一条很好的学习途径。所以，当像辛普森这样的人物名誉扫地时，人们会感到巨大的震惊和不安。

　　这不仅仅是一场法庭审判，这是英雄的失落。一个伴随着人们成长起来的人，一个人们仰慕的人，一个人们奉为楷模的人，突然之间变成了必须从人们心目中抹去的人。

　　随着年龄增长，我心目中又有了新的英雄，如高尔夫球英雄彼得·雅各布森、弗雷德·库普勒斯和泰戈尔·伍兹。我模仿他们的动作，竭尽全力去搜集与他们有关的资料。我还崇拜像唐纳德·特朗普、沃伦·巴菲特，彼得·林奇、乔治·索罗斯和吉姆·罗杰斯这样的投资家。现在我年纪大了，但我还像小时候记得 ERAS 或 RBI 的棒球明星们那样记得这些新英雄的情况。我跟随沃伦·巴菲特的选择进行投资，还阅读有关他对市场的所有看法；我阅读彼得·林奇的书，以弄懂他怎样选择股票；我还阅读了有关唐纳德·特拉姆的书，试图发现他进行谈判和撮合交易的技巧。

　　就像在棒球场上一样，我不再是我自己。在市场上或进行交易谈判时，我下意识地模仿特拉姆的那种气势；当分析某种趋势时，我学着像彼得·林奇那样思考，通过偶像的模范作用，我们发挥出自身巨大的潜能。

　　英雄人物不仅仅是激励我们，他们还会使难题看起来容易一些。正因为如此，英雄人物激发我们努力做得像他们一样，"如果他们能做到，那我也能"。

　　在投资问题上，许许多多的人总觉得十分困难，而了解和学习英雄们却会使这些事情看上去容易一些。

　　10.先予后取：给予的力量。我的两个爸爸都是教师。我的富爸爸教给了我一生受用的经验，那就是乐善好施的必要性。我的受到良好教育的爸爸花了很长时间广泛传授知识，却几乎没有施舍钱财。他常常说要是有额外的钱，就会施舍给别人，可是，他很少会有多余的钱。

我的富爸爸既提供金钱也提供教育，他坚信应对社会有所贡献。"如果你想获得，你首先需要给予。"他总是这样说，即使当他缺钱时，他仍继续向教堂或他支持的慈善机构捐钱。

如果我能给你提供一种思路的话，那一定是这个思路：当你感到手头"短缺"或"需要"什么时，首先要想到给予，只有先"予"，你才会在将来"取"得回报，无论金钱、微笑、爱情还是友谊，都是这样。我知道人们常常会把这件事放在最后，但事实证明这样做对我总是大有裨益的。我相信互利互惠的原则是正确的，我为自己想要的东西付出成本。我需要金钱，所以我给予别人以金钱，然后我又成倍地收回这些金钱；我想做销售，所以我帮助其他人出售东西，这样我也能做销售了；我需要订立合同做生意，所以我会尽自己所能去帮助其他人得到合同，就像魔术一样，我所需要的合同也来到了我手中。多年前我曾听到一句谚语说"上帝不需要得到什么，可人类却需要付出什么"。

我的富爸爸常常说，"穷人比富人更贪婪"。他解释说，如果一个人很富有，那么这个人就能提供其他人想要的东西。截止今天，每当我觉得自己需要点什么，或者缺钱，或者缺少帮助时，我就去想一想，自己心里到底需要什么，然后首先为此而付出。而一旦我为此而付出，那我总是能得到回报。

这使我想起了一个故事，说的是一位抱着柴禾的人坐在寒冷的夜里，冲着一只因缺柴而熄灭的大火炉叫道："你什么时候给我以温暖，我什么时候才会给你添加柴禾"。推而广之，涉及到金钱、爱情、幸福、销售以及合同等等，人们都应记住必须为自己需要的东西首先付出，然后才能得到加倍回报。常常是在思索我需要什么东西的过程中，以及思索我能为自己需要的东西而付给别人什么的过程中，我会突然变得非常慷慨好施。每当我感到人们不对我微笑时，我就开始笑着对人问好，然后，非常神奇地，似乎我周围突然多出了许多微笑着的人。的确，你的世界就是你的一面镜子。

因此最后我要说，"先予后取"。我发现，越是真诚地教那些想学习的人，我从中学到的就更多。如果你想学习有关金钱的知识，那就要先告诉别人你的看法，然后，新的思想和好的灵感就会如同山洪爆发，喷涌而出。

也有许多次虽然我付出了但并没有任何回报，或者得到的并非我想要的东西，但凭心而论，我的大多数付出都是取得了很好的回报的。

我爸爸培养老师，最终成为一名资深教师并受到大家的尊敬。同样的我的富爸爸总是把自己从事商务的经验和知识教给年轻人，回想起来，当他将那些自己懂得的知识十分慷慨地传授给别人时，他变得更加聪明。在这个世界上有许多力量比我们所拥有的能力更强，你也许可以凭自己的努力获得成功，但是如果有了这种力量的帮助，你就更容易成功或者取得更伟大的成功。你所应当做的是：对自己拥有的东西慷慨大度一些。反过来，你也一定会得到慷慨的回报。

第十章

还需要更多东西吗？
这里有一些要做的事情

许多人可能并不满足于我说的这十个步骤，他们把这些步骤更多地看成是一种思想而不是行动。而我认为，理解这一思想的过程本身就是一种行动。有许多人愿意去做而不愿意思考，也有许多人愿意思考而不愿意去做。我却觉得自己既愿意思考也愿意去做。我喜欢新思想，也乐于付诸行动。

因此，对于那些想"去做"的人来说，如何开始呢？在此我想简要地介绍一下我是怎样做的，以供大家参考。

● 停下你手头的活儿。换句话说，就是先停下来，评估一下你正在做的事中什么是有效的，什么是无效的。神智不清就是指做同一件事情却希望有不同的结果。不要做那些无效的事情，找一些有效的事情去做。

● 寻找新的思想。我经常到书店寻找独特的、与众不同的主张，以从中获得新的投资理念，我把它们称为模式。我买这种介绍各种"模式"的书籍，这些模式是我所不曾知道的。例如，在书店，我找到了乔尔·莫斯科维茨的《获利率达到 16％ 的方法》，我买下了这本书并一口气读完了它。在接下来的星期四，我开始完全按照书上说的话一步一步地行动了。我去律师的办公室和银行寻找房地产廉价交易的机会。大部分人并不采取行动，·或者被别人说服，而不去应用所学到的任何新的模式。我的邻居就曾经对我说，16%收益率是不可能实现的，但我没有听他的，因为他从来没有尝试过。

- 找一个做过你想做的事情的人，请他和你一块共进午餐，向他请教一些诀窍和一些做生意的技巧。就拿16%的税收留置权来说吧。我到税务办公室同一位政府雇员见面，我发现她也在做税收留置权投资，于是立即邀请她共进午餐，她也很兴奋地告诉我她所知道的一切有关这种投资的做法。甚至吃过午饭后，她又用了整整一个下午来向我说明全部过程。到了第二天，我就在她的帮助下，找到了两笔大买卖，从此我就能获得每年16%的利息。我花了一天时间来读有关的书籍，用一天来采取行动，用一个小时来吃午饭，又用一天时间找到了两笔大买卖。

- 参加辅导班并购买相关磁带。我在报纸上寻找令人感兴趣的新的辅导班广告，有许多是免费的或只收一小笔费用。我也参加一些费用昂贵的研讨班，因为这些研讨班所讨论的内容正是我急于想学习的。就是因为参加学习了这些课程，我才比较富有，不用出去辛苦劳作。我有许多朋友从不参加这种辅导班，他们说我是在浪费钱财，然而他们如今一直在干着同样的工作。

- 提出多份报价。如果我需要一处房地产，我会选看多处房产并给出一个一般性报价。如果你不知道什么是正确报价的话——其实我也不知道，就由房地产中介机构来提出报价。

一位朋友希望我告诉她如何购买公寓房。有个星期六，她、她的中介人和我一起去查看了六处公寓房。其中四处不太好，另外两处较好。我提议对所有六处都发出一份报价，价格为卖主出价的一半。她和她的中介人非常吃惊，认为这样做未免太粗鲁了，恐怕会冒犯这些卖主。但是我觉得，这只是中介人不愿意费力工作的一个借口而已。

后来他们一个报价也没做，而那个人仍然在寻找一笔价格"恰当"的交易。其实，你根本就不知道什么价格才是"恰当"的价格，除非有另一处同样的交易作为参照。大部分卖主的要价过高，很少有卖主的要价低于标的物实际价值的。

这个故事的主题是：多发出几份报价。没做过卖主的人，对于试图卖出东西的感觉是不会有什么体会的。我有一处房地产，想在数月之内卖掉它，当时我愿意接受任何出价，不会在意价格有多低，即使他们只出价十头猪我也会感到高兴。报价本身并不重要，关键是有人报价就说明有人感兴趣。也许我会反建议以一家养猪场作为交换，不要感到可笑，游戏就是这样运作的。记住，做买卖就是一场游戏，而且还很有趣。报价提出来，就会有某个人说："同意。"

我还经常使用"回避条款"来做报价。如在房地产交易协议上，我会加上"须得到我的商业伙伴的同意"。我从不指明我的商业伙伴到底是谁，大部分人都不知道我的商业伙伴其实就是我的小猫。如果他们接受我的报价，而我又不想成交的话，我就给家里的小猫打电话。我讲这个荒唐故事的目的就是为了说明，这种买卖游戏简单得难以置信。所以，我觉得许多人态度太严肃，反而把事情弄得太复杂。

寻找一桩好的生意，一家好的企业，一个合适的人，一位合适的投资者，或任何类似的东西，就如同约会一样。你必须到市场上去和许多人交谈，做许多·报价，还价，谈判，拒绝或者接受。我知道有人宁可在家里坐等电话铃响，但是，除非你是辛迪·克劳馥或汤姆·克鲁斯，否则你最好还是到市场上去，即使只是一家超级市场也罢。从寻找、报价、拒绝、谈判到接受、成交，几乎是人的一生中要经历的全部过程。

● 每月在某一地区慢跑、散步或驾车 10 来分钟，我就会发现那些最好的房地产投资机会。一年来，我常常在邻近地区慢跑，为的是发现某些变化。一桩交易要获得盈利，必须具备两个条件：一是廉价，二是有变化。市场上有许多廉价交易，但只有存在变化时，才能使廉价交易变成有利可图的机会。因此，当我慢跑的时候，我就往有投资可能的地点附近慢跑。通过反复观察，我就能注意到一些细微的差异。我会注意到悬挂了很长时间的房地产卖出招牌，那意味着卖主急于成交。观察到行驶中的卡车进进出出，我会停下来和司机交谈。我还同邮政货车司机谈话，从这些人口中你可以得到有关某一地区详细得令人吃惊的信息。

我找到一个很差的地区，是那种人人惟恐避之不及的地区。我在一年的时间里不时驱车经过这一区域，以观察某些情形向好的方向变化的标志。我和零售店主交谈，以弄清楚他们尤其是新户迁入的原因。这样做每月只需要花很少时间，同时我还能做其他的事情，比如锻炼身体，或去商店走走看看等。

- 至于股票，我喜欢彼得·林奇的《称雄华尔街》一书中介绍的选择价值有上升潜力股票的方法。我发现寻找价值增值的方法都是相同的，不管你的投资对象是房地产、股票、共同基金、新公司、新宠物、新房子、新配偶还是一家廉价出售的洗衣店。

程序往往是一致的。你先要知道你在寻找什么，然后再去寻找它！

- 为什么消费者总是穷人。每当超市有打折销售，如卫生用品打折时，消费者就会涌入超市，抢购回家贮存起来。而当股票市场上出现"降价销售"时，也就是大多数人所说的股市下挫或回调时，购买者却急于从中逃出。当超市涨价时，人们转而到其他商店购物，相反，股市上升时，购买者却对购买股票趋之若鹜。

● 关注适当的地方。一位邻居以 10 万美元购买了一项共同管辖权利，我则以 5 万美元购买了与之相邻的同样权利。他告诉我他正在等着价格上涨。我对他说你的获利额在你购买时就确定了，而不是在你售出时确定的。他是通过一位房地产经纪人来购买的，而这位经纪人却并未拥有属于他自己的房产。而我是在一家银行的破产清偿部购买的。我支付 500 美元上了一个班，这个班是专门讲如何做这种交易的。我的邻居认为花 500 美元上这样一个讲房地产投资的班未免太贵了，他说他付不起钱，也没有时间，所以，他就指望着价格会上升。

● 我首先寻找想买入的人，然后才去找想卖出的人。一位朋友想买一片地产，他有钱，但是没时间去找。我发现了一处地产，比我的朋友想要的面积要大一些。我问朋友要不要，他表示愿意要其中的一片，于是我把那一片出售给他，然后用很少的钱买下了其余土地，我把剩下的土地保持在手上作一种收益。这个故事的实质是：买下馅饼并把它切成小块。大部分人寻找的是自己能够支付的东西，这样他们看到的都是较小的东西。他们只购买一块馅饼，却因此付出更多。只盯着小生意的人是不会有大的突破的。如果你想致富，就要首先考虑较大的生意。

零售商喜欢提供数量折扣，就是因为大部分商人喜欢大额购买者。所以即使你的投资规模很小，你也可以多考虑大生意。当我的公司想在市场上购买电脑时，我就通知几位朋友，如果他们也准备买电脑的话，我们可以一起买。接着我们到不同的零售商那里，去蹉商这笔大买卖，因为我们一共需要那么多的电脑，我们就可以选择最适宜的价格，我也以同样的方式做股票。小规模投资人擅于小规模动作，因为他们思考的数量很小，他们或者单干，或者根本就不干。

- 温故而知新。所有上市的大公司都是从小公司起家的。桑德斯上校直到六十多岁在失去了所有财产之后才致富。比尔·盖茨在 30 岁以前就成为世界上最富有的人之一。这些都是我们可以学习研究的案例。

- 行动者总会击败不行动者。

以上这些只是我过去曾经做过的事情中的一小部分，我将继续做下去。最重要的话是"做过"和"去做"。在全书里我曾多次重复说过，在你获得财务回报以前就必须采取行动。那么现在就行动吧！

怎样用 7000 美元支付孩子的大学费用呢？

在本书写作即将完成付印之际，我愿意与读者分享最后一种思路。

我写作本书的主要原因，是为了同读者分享自己对于财商的一些领悟。在我看来，提高财商可以用来解决生活中的一些基本问题。如果没有受过财务训练，我们往往都会选择那种标准的模式度过一生，例如辛苦工作、储蓄、借款，然后支付很多的税款和账单，然而今天我们需要更好的行为模式。

对于今天许多年轻家庭面临的财政问题，我想举最后一个例子来加以说明。你怎样才能支付得起使自己的孩子受到良好的教育和自己退休后舒适地生活的费用？这个例子是用来说明怎样运用财商而不是凭借辛苦工作来达到同样目标的。

我的一位同班同学感到很担心，因为存钱供四个孩子上大学非常艰难。他每月用 300 美元投资于共同基金，从而积累了 1.2 万美元。但他需要 40 万美元才足以供四个孩子上完大学。他要在 12 年时间里存够这笔钱，因为他最大的孩子已经 6 岁了。

那一年是 1991 年，凤凰城的房地产市场一片萧条，人们纷纷抛售房产。我建议我的同学拿出投资在共同基金里的一部分资金来购买一处房产，这个主意打动了他，于是我们开始讨论其可行性。他担心的主要问题是银行不会给他提供用于买入另一幢房子的贷款，因为他铺的摊子太大了。我向他保证，除了银行外，还有为财产买卖进行融资的其他途径。

我们花了两周时间找到一处房子，这处房子符合我们的所有要求。因为有许多房子可供挑选，所以购买的过程也饶有趣味，最后，我们找到了位于邻近主要地区的一处三室两厅的房子。房主希望在几天内折价出售，因为他和他的全家要迁移到加利福尼亚，那里有一份新的工作在等着他。

房主要价 10.2 万美元，但我们只报价 7.9 万美元，但他立即接受了。这处房产交易是建立在所谓非限制性贷款的基础上的，这意味着甚至一个无业游民不经银行的许可也能购买。房主债务为 7.2 万美元，因此我同学只须支付 7000 美元，也就是房子售价和房主债务的差额就获得了这处房产。一等房主从房子里迁走，我的同学就将房子出租了出去，除去所有支付的费用，包括抵押贷款利息后，他每月还有 125 美元的进账。

他的计划是持有这处房产 12 年，并用每月 125 美元的收益归还贷款本金，以尽快还清抵押贷款。我们预计在 12 年里，抵押贷款的大部分将被偿还。当他的第一个孩子上大学的时候，他就可能每月净得 800 美元，如果那时候价格合适，他还可以卖掉房子从而获得一笔价值不菲的收入。

1994 年，凤凰城的房地产市场出现转机，他的房客在居住过一段时间后，非常喜欢这栋房子，于是想出价 15.6 万美元将房子买下来。他又来问我的看法，我自然主张以 1031 递延税收交易方式卖掉这处房产。

突然之间，他拥有了大约 8 万美元资金来进行运作。我给在得克萨斯州奥斯汀的一位朋友打了个电话，她旋即将这笔免税资金转移到她组建的一间有限合伙小货栈公司中去了。于是我的同学在三个月后开始每月收到略低于 1000 美元的投资收入。他把这笔钱再投入到大学共同基金中去，现在这笔基金增值得更快了。1996 年，这间小型货栈卖掉了，他从这笔交易中收到了约为 33 万美元的收益。然后，这笔资金又被投入到另一个项目中去，并给他带来每月 3000 美元的收入，这些收入又被投入到大学共同基金中去。他现在非常自信那笔 40 万美元的钱能够很轻松地筹集到，而这一步的初始投资只有 7000 美元以及一点点财商。他将能够轻松地为孩子支付所需要的教育费用，也可以将基金的资产投入到他的公司，来支付将来的退休生活。由于采取了这一成功的投资战略，他将能够提前退休去做一些自己想做的事情。

谢谢你阅读这本书，我希望它能提供一些有关利用金钱的力量为你工作的有益看法。今天，即使只是为了生存下去我们也需要提高自己的财商。只有工作才能创造钱的思想是在财务上不成熟的人的思想。这并不意味着他们不聪明，只不过是没有学到挣钱的学问。

金钱是一种思想，如果你想要更多的钱，只需改变你的思想。任何一位白手起家的人总是在某种思想的指导下，从小生意做起，然后不断做大。投资也是这样，起初只需要投入一点钱，最后做到很大数额。我遇到过许多人，他们花了一生的时间来寻找大生意，或者试图筹集一大笔钱来做大生意，但是对于我来说，这是愚不可及的一种做法。我见到过太多的不老练的投资者将自己大量的资本投入一项交易，然后很快损失掉其中的大部分，他们可能是好的职员却不是好的投资者。

有关金钱的教育和智慧是非常重要的。早点动手，买一本好书，参加一些有用的研讨班，然后付诸实践，从小笔金额做起，逐渐做大。我将 5000 美元现金变成 100 万美元资产，并在每月产生 5000 美元现金流量花了不到 6 年时间，但是我依然像孩子一样学习。我鼓励你学习，因为这并不困难，事实上，只要你走上正轨，一切都会十分容易。

我想我已经把我的意思讲清楚了，下面就是由你的头脑来决定你的双手该干什么的时候了。金钱是一种思想，有一本很棒的书叫《思考致富》，而不是《努力工作致富》。让金钱为你辛勤工作，你的生活将会变得更轻松、更幸福。

采取行动吧！

上天赐予我们每个人两样伟大的礼物：思想和时间。轮到你运用这两种礼物去做你愿意做的事情了。随着每一美元钞票流入你的手中，你，且只有你才有权决定你自己的前途。愚蠢地用掉它，你就选择了贫困；把钱用在负债项目上，你就会进入中产阶层；投资于你的头脑，学习如何获取资产，财富将成为你的目标和你的未来。选择是你作出的。每一天，面对每一美元，你都在做出自己是成为一名富人、穷人还是中产阶级的抉择。

选择将这些知识与你的孩子分享，你就选择了为他们适应将来的世界作准备，要知道没有其他的人比你更合适来开启你孩子的智商。

你和你孩子的未来将由你今天作出的选择来决定，而不是明天。

我们衷心希望你能运用上天赐予的伟大礼物来赚取大量财富，获得更多的幸福。

罗伯特·T·清崎

莎伦·L·莱希特

作者简介

罗伯特·T·清崎（Robert T. Kiyosaki）

他教人们成为百万富翁，这就是为什么人们称他为百万富翁学校的教师的原因。

"人们在财务困境中挣扎的主要原因是：他们在学校里学习多年，却没有学到任何关于金钱方面的知识。其结果是，人们只知道为金钱而工作……但从来不学着让金钱为自己工作。"罗伯特这样说。

罗伯特生在夏威夷，长在夏威夷，是第四代日裔美国人。他出生于一个教师家庭，父亲在夏威夷州教育部任职。高中毕业以后，罗伯特在纽约接受教育，大学毕业后加入了美国海军陆战队，作为军官和舰载武装直升机驾驶员，被派往越南战场。

从战场上归来后，罗伯特开始了自己的商业生涯。1977年他创立了一家公司，首次将用尼龙和"维可牢"搭链制成的"冲浪者"钱包投放市场，后来这一产品在世界范围内成长为价值数百万美元的产业。他和他的产品在《赛马世界》、《绅士季刊》、《成功杂志》、《新闻周刊》上被广泛介绍。

1985年，他离开商界，与别人共同创建了一家国际教育公司。这家公司在七个国家设有办事处，向成千上万的学生教授商业和投资课程。他主持的长达一年的节目通过怀旧有线网在全美播放，以传播他的教育理论。

罗伯特在 47 岁时退休，做起他最喜欢的事情——投资。深感"有产者"与"无产者"之间不断扩大的鸿沟，罗伯特发明了一种教育玩具——"现金流"纸板游戏，并用它教会人们去玩那些在以前只有富人们懂得的金钱游戏。

虽然罗伯特经营的是房地产和小型公司，但他真正爱好和热衷的却是教育。他曾和沃格·曼丁诺、Zig Ziglar 和安东尼·罗宾斯等人一道同台演讲。罗伯特·T·清崎要传递的信息是清楚的。"为你的财务负起责任或一生只听从别人的命令，你要么是金钱的主人，要么是金钱的奴隶。"罗伯特举办过长到一周短到一小时的辅导班，教给人们有关富裕的秘密，虽然他的主题是通过投资来获得低风险的高回报，以及教会孩子们致富、教人们创立公司并将其出售，但他发出了一个强烈的信息，这个信息就是：你的天赋正等待被开发出来，请唤醒你的理财天赋。辅导班大部分参加者会高兴地离开，也有的很恼火，但每个参加过的人都深深地被打动了。

世界著名的演讲家和作家安东尼·罗宾斯这样评价罗伯特的工作：

"罗伯特·T·清崎所做的教育是有巨大影响力的、深刻的，也可以说是改变人生道路的工作，我对他的努力极为敬佩和推崇。"

在经济变革迅猛发展的新世纪，罗伯特的话将是无价之宝。

莎伦·L·莱希特（Sharon L. Lechter）

作为一位妻子和三个孩子的母亲，作为一位注册会计师，玩具和出版业的一位资深经理和咨询专家，莎伦·L·莱希特把她的专业知识奉献给了教育事业。

她毕业于佛罗里达州立大学萨马卡姆劳德学院，获会计学学位。随后，她进入了当时的八大会计师事务所之一，成为跻身这一行业的首批妇女。后来，她陆续做过电脑行业的一家增长迅速的公司的财务总监，一家全国性保险公司的税务指导，威斯康辛州第一家地区性妇女杂志的创刊者和联合出版者，同时她还一直保持着一位注册会计师的职业声誉。

她对自己孩子的成长十分关注，为此，她将自己的努力重点转向了教育领域。让孩子读书简直比登天还难，他们更爱看电视，而电视上的少儿节目降低了他们对于阅读的兴趣。她意识到学校根本没有采取有效行动来面对这一挑战。

因此，她加入了创造第一本电子书籍——"会说话的书"的努力，这一产业如今已发展成为一个价值数百万美元的国际市场产业。在通过借助新技术将书籍带回到孩子们的生活中的努力中，她一直站在前列。

随着孩子们的成长，她更热情的投入到对他们的教育中去。她成为积极推动加强数学、计算机、阅读和写作等方面教育的活跃分子。她坚持不懈为提高整个教育系统的效率而奋斗。

"今天我们的教育体制已不能跟上全球变革和技术创新的步伐。我们不仅要教育我们的年轻人在学术上的技能，也要教育他们理财的技能，这不仅是他们在这个世界上生存下去，而且是生活得更美好所必须具备的技能。"

作为《富爸爸，穷爸爸》一书的作者之一，她将自己的注意力转向现行教育体制的一大缺憾，即对财务基础知识教育的完全忽视上。对任何有兴趣提高自己的财商和改善财务状况的人来说，《富爸爸，穷爸爸》一书都是一个很好的教育工具。

世图财商系列之 "富爸爸" 丛书简介

《富爸爸，穷爸爸》是一个真实的故事，作者罗伯特·清崎的亲生父亲和朋友的父亲对金钱的看法截然不同，这使他对认识金钱产生了兴趣，最终他接受了朋友的父亲的建议，也就是书中所说的 "富爸爸" 的观念，即不要做金钱的奴隶，要让金钱为我们工作，并由此成为一名极富传奇色彩的成功的投资家。

《富爸爸财务自由之路》是《富爸爸，穷爸爸》的续篇。本书将所有的人分为四类：1. 雇员；2. 自由职业者；3. 公司所有者；4. 投资人。本书分析了这四类人各自的价值，并为人们指明了通往财务自由的道路。

《现金流》（成人版）是罗伯特·清崎发明的一套寓教于乐的教育游戏，人们可以从充满乐趣的游戏中学习到有关会计、财务、投资等方面的知识，从而启发你的财商，并从中体味到生活的酸甜苦辣。该游戏可供2～6人一同游戏，适合12岁以上人士使用。

《现金流》（儿童版）是罗伯特·清崎专为6～12岁儿童设计的教育游戏，儿童可以从快乐的游戏中学习简单的会计知识，了解 "收入"、"支出"、"资产" 和 "负债" 的概念及其关系，从小培养孩子的财务智商，帮助他们及早地做好进入现实世界，迎接人生挑战的准备。

欢迎访问"富爸爸"网站：
www.richdad.com

● 有关"富爸爸"系列产品的介绍；
● 解答读者及游戏玩家关于图书及游戏的常见问题；
● 有关 Cashflow Technologies Inc. 的情况。举办的各种与"富爸爸"相关的活动及对罗伯特·清琦访谈实况。

本系列英文版由 CASHFLOW® Technologies, Inc. 出版：

CASHFLOW® Technologies, Inc.
4330 N. Civic Center
Scottsdale, Arizona 85251, USA
　(480) 998-6971 or (800) 317-3905
Fax：(480) 348-1349
E-Mail：Moreinfo@richdad.com

有关中文版系列产品，请致函：

世界图书出版公司北京公司
地址：北京朝内大街 137 号
邮编：100010
电话：(010) 64038350
传真：(010) 64077944
电子信箱：bjwpc@public3.bta.net.cn

新世纪开启你的财务智商